PHOTO: Kéro

COLETTE CHATILLON

Le refuge Meurling à Montréal en 1932

Avec la grande crise, les chômeurs s'entassent dans les villes. À travers tout le pays, le gouvernement met sur pied un programme de travaux publics pour endiguer la révolte des sans-logis. Qui sont-ils ces chômeurs? Pour la plupart des fils de cultivateurs, dépossédés de tout.

Colette Chatillon

L'histoire de l'agriculture au Québec

éditions l'étincelle

Copyright © 1976, Editions l'Etincelle

Dépôt légal, 3e trimestre 1976, Bibliothèque Nationale du Québec.

Diffusion : Canada—Messageries Prologue Inc.
1651, rue St-Denis
Montréal, Québec.

France —Montparnasse-Edition
1, Quai de Conti
Paris 75006

Suisse —Foma-Cédilivres
C.P. 4
Le Mont-sur-Lausanne

Pour recevoir notre catalogue, sans engagement de votre part, il suffit de nous envoyer une carte avec votre nom et adresse.

Éditions l'Étincelle, 1651 rue St-Denis, Montréal. Tél.: 843-4344

ISBN : 0-88515-059-7

REMERCIEMENTS

Nous tenons à souligner la critique constructive qui fut apportée à notre texte par Jean Roy, Diane Lessard, Pierre Beaucage, et particulièrement Bernard Bernier, qui nous a constamment appuyées dans notre projet. Grâce à de nombreux conseils, ce texte fut modifié à de nombreuses reprises pour constituer le document présent.

ERRATUM: le lecteur averti
constatera l'absence du Tableau XII.
Il s'agit d'une erreur typographique,
et non pas d'une omission.

1949: défrichement d'un lot en Gaspésie

La crise entraîne une nouvelle vague de colonisation. Crevant de faim en ville, de nombreux fils de cultivateurs retournent à la campagne et tentent, par des efforts surhumains, de tirer leur pitance de la terre. Les tentatives héroïques sont aujourd'hui réduites à zéro par la politique gouvernementale de fermeture des "paroisses marginales".

1964: la fenaison en Abitibi

La petite entreprise agricole ne peut survivre sans le travail acharné et gratuit de la main d'oeuvre familiale. Le travail "caché" est gigantesque. Si on regarde le revenu moyen de la famille agricole, on mesure aisément le degré d'exploitation de cette force de travail. Ils sont "parkés" comme des bêtes de somme dans des camps de travail, des refuges.

INTRODUCTION

Cette recherche qui porte sur le développement historique de l'agriculture québécoise par rapport à l'industrie et au mode de production capitaliste, a été effectuée en 1973, dans le cadre académique d'un projet de thèse à l'université. Cette remarque nous semble importante pour situer les faiblesses et les limites de cet ouvrage.

Au cours de ce vaste survol historique, des origines de la colonie française à nos jours, nous voulions insister davantage sur l'évolution récente des rapports entre l'agriculture et l'industrie capitaliste. Cependant, étant donné l'état de la recherche sur ce sujet à cette époque, il nous apparaissait (et nous apparaît toujours) nécessaire, préliminaire, de relier l'état présent de l'agriculture à son développement historique, d'arriver aussi à comprendre à travers les montagnes de renseignements statistiques et descriptifs, les lois scientifiques de l'histoire du Québec et du Canada.

Cette démarche s'est avérée particulièrement difficile, principalement à cause du manque de rigueur du cadre d'analyse, donc de la méthode. Nous croyons foncièrement que seule une étude qui s'appuie sur la méthode du matérialisme historique et dialectique, et qui repose sur une compréhension approfondie du mode de production capitaliste et de la lutte des classes, peut rendre son sens à l'histoire. Mais l'assimilation de plus en plus parfaite de cette méthode est un processus long et complexe: le lecteur averti se rendra compte des faiblesses de l'analyse. Le projet était très vaste, demandait la synthèse d'un grand nombre de données, de phénomènes, et la compréhension des liens dialectiques, mutuels entre tous ces aspects. Plutôt que d'accumuler les descriptions factuelles et les statistiques, nous avons préféré renvoyer le lecteur aux ouvrages consultés qui traitent abondamment de ces questions, en espérant ainsi alléger une lecture déjà relativement dense et ardue.

Malgré tout cela, nous considérons que cet ouvrage a tenté une première synthèse historique du développement économique et politique du Québec; il recèle de très nombreuses données qui pourront servir de base, encourager et susciter, nous l'espérons, des études plus approfondies sur ces sujets.

Plus concrètement, qu'avons-nous essayé de démontrer dans cette recherche? Fondamentalement, pour nous, il s'agissait de répondre à deux questions. La première, comment traiter, décrire, analyser l'économie dans une société de classes, une société bâtie sur des rapports de productions capitalistes? D'après nous, il faut non seulement comprendre l'économie par rapport à ses mécanismes internes (par exemple, la loi de la baisse tendantielle du taux de profit), mais surtout par rapport aux contradictions politiques des sociétés de classes. La lutte incessante que se livrent des classes sociales aux intérêts opposés constitue le moteur de l'histoire. Ainsi, l'évolution de l'agriculture au Québec illustre bien la dépossession extrêmement rapide des petits producteurs en faveur des gros, la domination de plus en plus étendue du capital sur la production agricole, la concentration et la puissance économique des monopoles qui vivent des produits de l'agriculture.

Par rapport à cette question, nous nous sommes également demandées comment un secteur économique comme l'agriculture qui entretient des rapports de production pré-capitalistes (petit entreprise familiale), s'intégrait au mode de production capitaliste. Il a fallu voir en quoi la situation actuelle de la majorité des producteurs agricoles (petits et moyens) servait les intérêts de la classe capitaliste dans son ensemble. Ces producteurs agricoles sont de plus en plus dépossédés de leurs moyens de production (par l'entremise des hypothèques, du crédit, etc...). Et c'est la sous-rémunération du travail agricole (échange inégal entre les secteurs de production) qui fonde le maintien de la petite exploitation familiale: en effet, le produit du travail dur et long de l'agriculteur petit et moyen, et de sa famille, profite aux secteurs monopolisés fournisseurs des moyens de production et aux nombreux intermédiaires qui transforment et écoulent les marchandises.

Deuxièmement, une autre difficulté majeure se présente: quels sont les rapports entre les facteurs externes conjoncture internationale, luttes inter-impérialistes, etc...) et les facteurs internes (lutte des classes à l'intérieur du pays, contradictions internes) dans la compréhension du développement économique d'un pays, au stade impérialiste du capitalisme comme au stade concurrentiel ou à l'époque des colonies? À propos, notre synthèse historique témoigne d'un souci constant de situer le Québec et le Canada face aux rapports internationaux. Cependant nous critiquons ici aussi la faiblesse de notre exposé en ce qui concerne le développement des contradictions politiques internes au Canada, et également en ce qui concerne l'articulation partielle des facteurs externes et internes, une mauvaise compréhension de leurs rapports mutuels.

Néanmoins, nous sommes convaincus que cette recherche apportera une certaine contribution à l'étude scientifique, matérialiste, de notre histoire. Et c'est en ce sens que nous la soumettons tout-de-même à votre appréciation.

CHAPITRE 1

LE RÉGIME COLONIAL

A - *RÉGIME FRANÇAIS* [1]

La colonisation française du Canada, supervisée par la monarchie, s'effectue dans le cadre du régime seigneurial. En effet, dès 1623, les terres sont allouées à des notables qui doivent en assurer le peuplement. En échange du droit de propriété de grandes étendues de terres, ces notables (seigneurs) doivent s'assurer que des fermiers, censitaires, viennent s'établir sur ces terres et les cultiver. Le droit de propriété comprend entre autres le droit de percevoir du censitaire une rente (le cens), et le droit exclusif d'établir des moulins où les censitaires doivent faire moudre leur grain moyennant paiement [2]. De 1623 à 1763, 375 seigneuries sont ainsi allouées. Le but de ce système, du côté de la monarchie, est d'assurer la prise de possession du territoire, mais selon "les structures agraires et les catégories sociales de la métropole" [3]. On édifie une aristocratie foncière coloniale, dont une partie importante est constituée par le clergé. Les colons sont alors semblables aux paysans français: leur indépendance est limitée par leurs liens avec les seigneurs. Cependant, voulant éviter une trop grande indépendance de l'aristocratie vis-à-vis de la couronne et écarter ainsi les luttes qui, en métropole, avaient mené à la Fronde (1648), la monarchie établit une administration coloniale qui a pour but de contrôler l'aristocratie.

Toutefois, ce système s'avère une faillite tant en ce qui concerne le peuplement que la production agricole. Les causes principales en sont la situation de l'agriculture métropolitaine et la nature de l'économie coloniale. Pour ce qui est de l'agriculture métropolitaine, la mise sur pied d'une

---

1. Cette section est fondée sur les travaux de Ouellet (1966 et 1972), de Harris (1966), de Hamelin (1960) et de Nish (1968). Voir en bibliographie, sources historiques. Nous ne citerons les ouvrages que lorsqu'une information précise sera donnée.
2. La propriété seigneuriale assure d'autres droits. Ouellet dans **Élements d'histoire sociale du bas Canada, MH., Hurbubise HMH,** 1972, p. 92 les énumère ainsi: "Cens et rentes, droit de quint, lods et ventes, aveu et dénombrement, foi et hommage, terrier, censier, droit de retrait, corvée, droits honorifiques et réserves".
3. Ouellet, op. cit., p. 92.

agriculture de marché n'aboutit pas, comme en Angleterre, à une expropriation massive des paysans. En effet, la situation de classe spécifique à la France entraîne plutôt la dépossession par la couronne de l'aristocratie foncière devenue noblesse de cour et la création d'une classe de paysans parcellaires. Les anciens serfs féodaux ne sont donc pas exclus de leur terre, mais plutôt établis comme petits producteurs indépendants. C'est ce développement divergent de l'agriculture en France et en Angletterre qui explique en bonne partie l'écart énorme de population entre la Nouvelle-France et la Nouvelle-Angleterre. En 1760, on évalue la population respective de ces deux colonies à 55,000 et à 1 1/2 million. Une population aussi restreinte en Nouvelle-France ne peut que freiner le développement du marché interne et ainsi d'une agriculture commerciale. En effet, la colonie française a une faible population répartie sur un territoire immense, ce qui encourage l'indépendance de chaque famille paysanne. Dans ce contexte, les revenus agricoles des seigneurs ne peuvent croître, et de fait, la plupart des droits seigneuriaux ne sont jusqu'en 1763 que des droits hypothétiques.

De son côté, l'économie coloniale ne favorise ni le peuplement, ni l'agriculture. En effet, la source principale de revenu est le commerce des fourrures et les seigneurs et censitaires sont prompts à saisir l'occasion de s'enrichir. La plupart des seigneuries sont tenues soit par des marchands ou administrateurs coloniaux, soit par des communautés religieuses. De ces seigneurs, seuls les institutions et communautés religieuses ont intérêt à peupler le territoire et à assurer la production agricole, car la rente des censitaires représente pour eux la première source de revenu. Les marchands et administrateurs venant en Nouvelle-France surtout pour s'enrichir, la rente des censitaires constitue pour eux une source très secondaire de revenu: la source principale demeure le commerce très lucratif des fourrures. À cause de l'absence presque complète d'intégration de l'agriculture aux courants commerciaux les revenus seigneuriaux possibles dans l'agriculture sont de beaucoup inférieurs à ceux obtenus par le commerce des fourrures.

Ce commerce a une autre conséquence sérieuse sur l'agriculture: il exige une main d'oeuvre pour aller chercher les fourrures dans les régions éloignées et les rapporter aux centres de traite, c'est-à-dire Montréal, Albany ou Québec. Plusieurs censitaires se saisissent de cette chance d'acquérir leur indépendance et de maximiser leurs revenus et deviennent ''coureurs-de-bois''. Ainsi, l'agriculture perd une partie de sa main d'oeuvre déjà peu nombreuse, ce qui n'encourage pas les seigneurs à investir dans le peuplement de la colonie.

La situation métropolitaine et l'orientation strictement commerciale (fourrures) de la colonie ont donc pour effet de restreindre le peuplement et d'empêcher la création d'un marché interne et d'une agriculture commerciale. Les agriculteurs, se concentrent donc sur l'agriculture d'auto-subsistance, se servant de techniques issues du féodalisme et se restreignant à la culture céréalière: blé, avoine, seigle. Il est à noter que ces agriculteurs pour la plupart ne sont pas des paysans venus de la métropole. Ils connaissent donc mal les techniques agricoles, et par conséquent l'agriculture qu'ils pratiquent ne s'appuie pas sur toutes les techniques européennes employées à l'époque, surtout pour la regénération de la terre. De par cette caractéristique, l'agriculture de la Nouvelle-France est dès le départ une agriculture techniquement pauvre, qui ne peut assurer la survie des agriculteurs qu'à cause de l'abondance des terres.

Le système seigneurial est donc une tentative pour établir dans une colonie des structures agricoles féodales qui sont en voie de disparition dans la métropole. Étant donné la situation dans la métropole et la colonie, ces structures ne sont qu'hypothétiques jusqu'en 1760. Cependant, les droits qu'elles accordent à une classe de propriétaires terriens (qui les appliquent peu jusqu'en 1760) deviennent un élément important pour l'évolution de l'agriculture lorsque la colonie est coupée de sa métropole par la conquête anglaise de 1760.

B - LA CONQUÊTE ET SES CONSÉQUENCES IMMÉDIATES

1) *Réorganisation du commerce*

La conquête du Canada par l'Angleterre en 1760 survient à un moment de crise économique grave en Nouvelle-France. En effet, à cause de la Guerre de Sept Ans, la production agricole a décliné, entraînant une pénurie de produits de première nécessité et une hausse effrénée des prix. Une mauvaise administration, tant au point de vue monétaire que commercial n'a fait qu'empirer la situation. De fait, le but des administrateurs de la dernière décennie du régime français est de faire fortune, et le monopole du commerce intérieur et extérieur constitue le moyen d'atteindre ce but. Comme le contrôle des produits agricoles à partir de 1750 devient plus lucratif que celui des fourrures, le commerce de ce dernier produit décline de 1750 à 1760.

Par contre, les compagnies anglaises se sont développées depuis le 17ième siècle, profitant de la conquête de territoires auparavant sous contrôle de la France. Ces compagnies jouissent à la fois d'une meilleure gestion interne et d'une meilleure organisation générale de la colonie de Nouvelle-Angleterre.

2) *Le maintien du système seigneurial*

La plupart des marchands et administrateurs coloniaux, tout comme les institutions et communautés religieuses, possèdent une seigneurie. Sous le régime français, peu de seigneurs ont exercé pleinement leurs droits sur les censitaires et les rentes ne sont pas toujours payées. Mais avec la perte de leurs autres sources de revenu, il ne reste aux seigneurs que les revenus venant de l'agriculture. On réactive donc des droits qui avaient été peu employés jusque là.

Pour les censitaires, la désorganisation du commerce des fourrures dans la dernière décennie du régime français et la Guerre de Sept Ans ont pour conséquence la nécessité de se cantonner dans l'agriculture. Les censitaires ont des droits reconnus sur une parcelle de terre, mais ces droits sont subordonnés aux droits de propriété des seigneurs. Quant au commerce des fourrures, la mainmise des commerçants anglais élimine le seul débouché qui se présentait aux censitaires, hors de l'agriculture.

Ces nouvelles conditions, tant pour les seigneurs que pour les censitaires, entraînent une **transformation des relations entre classes dominantes et classes dominées.** Ces nouvelles conditions, tant pour les seigneurs que pour les censitaires, entraînent une **transformation des relations entre classes dominantes et classes dominées.** Les diverses fractions de la classe dominante (administrateurs, marchands, clergé) ont avant 1860, des intérêts sinon opposés, du moins compétitifs: le clergé dépend surtout de l'agriculture, les marchands et administrateurs, des fourrures. Les querelles incessantes entre ces deux groupes jusqu'en 1760 illustrent bien les conflits d'intérêts. Après 1760, ces fractions s'unifient autour de la propriété de la terre. Les divers groupes se fondent en une seule classe: celle des propriétaires terriens, des "seigneurs". Cette classe peut augmenter sa domination sur les censitaires du fait d'abord de son unité. Un autre facteur est la disparition du commerce des fourrures comme alternative à l'agriculture. Un plus grand contrôle de la main d'oeuvre permet de réorganiser un système de tenure qui jusqu'en 1760 a été lâchement appliqué. Les rentes qui auparavant n'étaient pas perçues complètement, pour ne pas effrayer les censitaires et les inciter à rester sur la terre, sont alors perçues au plein montant.

Le maintien du régime seigneurial n'est possible qu'avec la collaboration de l'administration anglaise: le renfort de ce système est le résultat d'un contrat politique entre les fractions de la classe dominante.

3) *Le contrat politique entre les classes dominantes*

Juste après la conquête, les administrateurs anglais songent à abolir le système seigneurial et à imposer leur système de tenure de franc et commun soccage. Ce changement n'est de fait qu'une des nombreuses transformations que se propose d'adopter la nouvelle administration coloniale. Parmi les autres mesures importantes, il y a l'élimination du droit coutumier, la disparition du français, et la conversion des catholiques au protestantisme.

D'un autre côté, les administrateurs anglais, fortement minoritaires dans ce pays français, ne tiennent pas à s'aliéner la population. Étant donné surtout l'instabilité politique en Nouvelle-Angleterre. Le but des administrateurs est d'abord d'assurer la tranquillité des colonies de façon à exploiter le mieux possible les richesses du territoire.

Très tôt, l'application des mesures envisagées apparaît dangeureuse aux administrateurs. Les notables français s'opposent avec force à leur application. Les raisons de cette opposition sont assez claires: la destruction du régime seigneurial leur enlève leur unique source de revenu. L'abolition du système seigneurial aurait eu pour effet de reconnaître le droit du censitaire à la terre qu'il cultive et l'abolition des rentes. Quant à la religion catholique, elle constitue une idéologie utile pour maintenir la domination des seigneurs sur les censitaires. Finalement la langue assure aux seigneurs un monopole de l'idéologie qui n'aurait pu se maintenir si l'anglais était devenu la langue obligatoire; en effet, si les censitaires apprennent l'anglais, ils deviennent aussi au courant d'idéologie et de droit concurrents, et ils risquent de tenter de se libérer du joug des seigneurs. C'est pourquoi les seigneurs (dont, l'Église et les communautés religieuses qui contrôlent en 1760 plus du quart des terres) s'opposent en bloc aux mesures anglaises, et lient ensemble langue, religion et système seigneurial.

Nous connaissons les motivations économiques qui poussent les notables et le clergé français à défendre leurs droits seigneuriaux. Mais connaissons-nous bien les intentions du conquérant? Au moment de la conquête, les militaires et administrateurs coloniaux anglais (de souche aristocratique pour la plupart) défendent les intérêts du Parlement de Londres, à cette époque encore contrôlé majoritairement par la classe des propriétaires terriens, des aristocrates. Il faut se représenter l'état de la lutte de classe que se livrent en Angleterre, et donc au parlement, la bourgeoisie commerciale, mercantile, et la bourgeoisie industrielle en montée contre l'aristocratie terrienne, chacune s'appuyant sur des pratiques économiques différentes.

Les accords de paix tractés par les administrateurs anglais du temps de la conquête, contrecarrent les intérêts expansionnistes de la bourgeoisie capitaliste qui tente d'établir son hégémonie dans les colonies (la métropole transfère évidemment ses luttes de classes aux colonies). En effet, le maintien du régime seigneurial institutionnalise une sorte de blocage au développement d'un marché capitaliste (nous verrons comment en pratique). On tente par là de neutraliser la puissance politique des bourgeois coloniaux, dont la menace "autonomiste" en Nouvelle-Angleterre est imminente. D'un autre côté, le maintien du système seigneurial assure la coopération des notables locaux et le contrôle de la population, facteurs essentiels dans une colonie à majorité francophone.

Donc, le pacte politique entre seigneurs et administrateurs anglais ne peut se maintenir qu'avec l'appui de Londres (nous verrons comment se sont traduits ces antagonismes au niveau de l'Assemblée du Bas-Canada). Le système seigneurial ne sera enfin aboli qu'avec l'arrivée au pouvoir de la classe capitaliste anglaise et la politique du libre-échange.

En 1760, les administrateurs, désireux de conserver la paix sociale, choisissent de maintenir le système seigneurial, le droit coutumier français, et de ne pas s'attaquer directement à la langue française et à la religion catholique, à condition que les seigneurs témoignent de leur loyauté ainsi que de celle de leurs censitaires à la couronne britannique. Ce pacte entre les administrateurs, fraction hégémonique de la classe dominante anglaise de l'époque, et l'ancienne classe dominante française, reléguée à l'agriculture, et devenue subordonnée aux administrateurs, doit assurer les intérêts de ces deux fractions de classes. D'une part, il permet aux administrateurs de garder la mainmise sur la colonie et de limiter l'action revendicatrice des marchands anglais, dont les intérêts sont liés à ceux des marchands de Nouvelle-Angleterre. L'appui des seigneurs assure également aux administrateurs le contrôle de la majorité de la population. D'autre part, par ce pacte, les seigneurs garantissent leurs revenus, tirés du labeur des paysans.

Les intérêts de ces deux classes sont donc complémentaires en 1760. Mais avec le développement du commerce des produits agricoles et donc de la bourgeoisie commerçante canadienne, et l'établissement de colons anglais selon un système de tenure différent, les intérêts de ces deux classes deviennent de plus en plus divergents, ce qui entraîne le déclin de la classe des seigneurs canadiens-français.

Les premières années après la conquête, assurent un contrôle beaucoup plus fort qu'auparavant des seigneurs sur les censitaires. La domination s'exerce de manière plus radicale qu'avant 1760, et avec le consentement de l'administration anglaise.

Dans les années qui suivent la conquête, les marchands anglophones, sont dominés par l'aristocratie administrative. Par contre, le monopole du commerce lucratif des fourrures, puis du blé et du bois, leurs pratiques les place dans une situation économique avantageuse. Comme nous le verrons, ils ne tardent pas à tenter de s'arroger la position hégémonique à l'intérieur de la classe dominante. Cependant, au Québec, leurs intérêts ne seront pleinement servis qu'avec l'Acte d'Union de 1840.

4) *La politique agricole de l'Administration anglaise*

Malgré le pacte entre les administrateurs et les seigneurs, l'administration anglaise n'en a pas moins comme stratégie d'unifier le système de tenure et à la longue d'assimiler les Canadiens-français en les maintenant dans une situation d'infériorité économique et politique. Pour atteindre cet objectif à long terme, l'administration fait appel à des mesures moins directes: on y reconnaît deux tactiques majeures, 1) celle de l'immigration massive de fermiers anglais, 2) celle de la politique d'établissement. On compte en plus sur la commercialisation de l'agriculture, mais le commerce du blé sur grande échelle ne s'établit qu'à la fin du 18ième siècle.

En premier lieu, l'immigration doit à la longue inonder la colonie de colons anglophones parmi lesquels les Français ne représenteraient qu'une infime minorité. L'immigration s'accentue quelque peu vers 1776 lorsque la guerre d'Indépendance américaine provoque la venue des ''Loyalistes''. Mais c'est surtout au 19ième siècle que le nombre d'anglophones se multiplie. Dès la fin du 18ième siècle cependant, la production agricole de la péninsule du Niagara sert de base de ravitaillement au commerce de la Northwest Co. Évidemment, ces nouveaux colons cultivent selon la tenure à l'anglaise, c'est-à-dire qu'ils profitent des innovations techniques de la révolution agricole anglaise du 18ième siècle: près de la péninsule du Niagara et sur la rive Nord du lac Ontario, les colons pratiquent la rotation des cultures, emploient le gypse et les déchets de la stabulation comme engrais. Tous ces facteurs favorisent une meilleure productivité de la terre.

Deuxièmement, à cause de l'abondance des terres, l'établissement des colons anglais peut se faire sans heurt avec les Français. Mais cet établissement est contrôlé par l'administration et vise à la fois à bloquer l'expansion du territoire seigneurial et à commercialiser l'agriculture. De fait, le maintien du régime seigneurial après 1763 est effectué dans des conditions différentes de celles du régime français. L'agriculture profite maintenant de débouchés extérieurs et elle devient une activité rentable, même sur les seigneuries. En 1796, la production de blé dépasse de 20% celle de 1785-89. Cette denrée devient le principal produit d'exportation après le bois, les fourrures ayant considérablement fléchies. La commercialisation des produits agricoles entraîne la croissance démographique, augmentant ainsi les surfaces cultivées sur les seigneuries. Les conséquences en sont une accélération des transactions sur les terres, y compris les terres seigneuriales et une augmentation des rentes. Cependant, si les surfaces cultivées augmentent, la productivité décroît, ce qui à la longue conduira à une crise agricole après 1800. Donc sur les terres seigneuriales: on enregistre une augmentation de la superficie cultivée mais baisse de productivité.

Quant à l'agriculture hors des seigneuries, elle connaît un développement tout autre. D'abord on ne peut passer sous silence le rôle que jouent les compagnies privées britanniques dans la concession des terres et le développement agricole et industriel de ces régions. Au tout début du régime anglais se forment des compagnies telles la British American Land Co. au Bas-Canada, et la Canada Land Co. au Haut-Canada, qui font leur fortune et leur réputation dans la spéculation foncière. Ces compagnies achètent les terres de la couronne et une partie de celles du clergé; par exemple, au Québec, en 1831, le British American Land Co. achète du clergé une partie des Easthern Township (500,000 acres). Les compagnies font monter le prix de la terre, et vendent (ou louent) aux colons anglais; la plupart du temps, elles font affaire avec des colons qui possèdent un certain capital. L'immigration est nettement encouragée vers le Haut-Canada, si bien que la compagnie du Haut-Canada devient la plus prospère de toutes. Mais leur apport le plus déterminant est celui de **fournisseur de capital**: elles sont à l'origine de la constitution d'un capital bancaire canadien fortement concentré. Ces compagnies n'ont qu'un but, celui de faire fructifier leur capital par toutes sortes de placements: elles prennent en charge la construction de moulins, de scieries, de four-à-briques, de moyens de transports (bateaux, routes), elles contribuent même à ouvrir des écoles. Autre facteur majeur: ces compagnies, qui ont favorisé l'accumulation de capital par leurs pratiques spéculatives, institutionnalisent le crédit à la production. On prête aux petits commerçants et même aux colons, et cette chaîne de crédit, dont les compagnies d'établissement se font les intermédiaires actifs, remonte jusqu'aux sièges sociaux à Liverpool et à Londres. Ces compagnies ont accéléré le développement capitaliste de ces régions par leur apport de capital, par la concentration du capital bancaire.

Il est toutefois erroné de croire que le développement du Haut-Canada s'est fait sans heurt, que ces compagnies ont ouvert la voie d'un progrès industriel et agricole harmonieux. Dès le début de ce processus, des intérêts contradictoires s'affrontent. D'une part, il existe comme nous l'avons vu, des sociétés privées britanniques qui ont pour pratique économique principale de spéculer sur les terres de la couronne: elles cherchent à monopoliser la terre dans le but de faire monter les prix et, de revendre au plus offrant (par exemple, la British American Land Co. achète 500,000 acres dans les Cantons de l'Est, alors que le gouvernement anglais songe à établir 600,000 colons dans cette région et celle de l'Outaouais).

D'autre part, les entrepreneurs industriels capitalistes s'insurgent contre le monopole de la terre, monopole qui entrave le "libre" développement des ressources locales. Ces deux factions ne s'entendent que sur un point précis: l'exploitation du colon, qui lui doit défrayer le coût de la terre. Les compagnies contrôlent également l'approvisionnement en outils, matériels, produits de consommation. Très tôt, la population du Haut-Canada s'élève contre la tyrannie de ces monopoles. Le développement capitaliste du Haut-Canada amène rapidement la division sociale du travail, de même que l'affrontement d'intérêts de classes opposées.

Malgré les problèmes posés par le monopole des compagnies, il semble clair que les colons anglais du Haut-Canada et de la région de l'Outaouais ont bénéficié de plusieurs types d'avantages par rapport à ceux du Bas-Canada:

a) L'organisation de l'infrastructure économique (tout ce qui favorise la circulation des produits) est assurée par les intérêts des bourgeois capitalistes, des commerçants (routes praticables, écoles, etc...). Tout cela dans le but de favoriser une meilleure rentabilisation des investissements dans le commerce du blé, de la farine. On peut comparer à l'anarchie et au laisser-aller total qui règne à ce propos sur les terres seigneuriales. Selon la législation française le seigneur a la responsabilité d'assurer le peuplement et la circulation des produits agricoles; entre autre en entretenant les routes. Comme le revenu seigneurial au début du régime anglais, dépend peu du commerce qui est aux mains des anglais, les seigneurs s'acquittent bien mal de cette responsabilité. Dans les années de crise économique grave au Bas-Canada, les revenus des seigneurs sont menacés à cause de l'état de misère des paysans. Les seigneurs se lancent donc dans toutes sortes de pratiques spéculatives et délaissent complètement les frais d'entretien des routes, si bien que celles-ci se détériorent rapidement et deviennent quasi impraticables. Cette situation au Bas-Canada, longuement décrite dans l'ouvrage de F. Ouellet, entrave de façon capitale les rapports commerciaux entre la ville et les campagnes.

b) Les compagnies mercantiles accordent des facilités de crédit aux colons. L'accessibilité au capital permet de prendre de l'expansion, d'améliorer l'équipement.

c) Une plus grande fertilité de la terre, jointe à des techniques agricoles avancées pour l'époque, donnent une meilleure productivité du travail.

Comme nous le voyons, les progrès capitalistes dans l'agriculture au Haut-Canada sont fonction de plusieurs facteurs. D'abord, dès le début, la production de blé est organisée sur une base commerciale. Les compagnies qui opèrent le transport du blé vers la métropole ont tout intérêt à stimuler cette production étant donné la hausse quasi constante de la demande en Angleterre. L'agriculture seigneuriale étant en perte de terrain et manifestant toutes sortes d'obstacles à la commercialisation "libre" de ses produits, les marchands vont tout de suite favoriser la production agricole du Haut-Canada. Le problème des transports demeure l'aspect dominant de la rentabilisation de ce commerce. Aussi les compagnies en arrivent très tôt à transformer le blé en farine, multipliant les moulins dans le Haut-Canada. Cette transformation amoindrit considérablement les coûts de transport et fournit une des bases d'implantation du capital industriel au Haut-Canada.

D'autre part, l'insertion de la production du blé dans le marché capitaliste assure aux colons un revenu monétaire, un pouvoir d'achat réel, sans compter les facilités de crédit mises en place par les compagnies. Les colons ont donc la possibilité d'introduire sur leur terre une machinerie agricole qui augmente la productivité du travail. Ces colons anglophones, pour la plupart issus de souche paysanne (contrairement aux censitaires établis dans les seigneuries), bénéficient des progrès de la révolution agraire anglaise du 18ième siècle: ils ont importé des techniques progressistes de traitement du sol, ce qui améliore grandement le rendement du sol.

De plus, la main-d'oeuvre agricole du Haut-Canada est disponible aux changements éventuels exigés par les fluctuations du marché; elle est propriétaire des terres contrairement au censitaires Canadiens-français qui, eux, ont avec les seigneurs des liens quasi féodaux. Il faut souligner les relations tout à fait particulières qu'entretiennent les commerçants du Haut-Canada avec leurs voisins du Sud. À cause des facilités de transport sur les Grands Lacs, le marché du Haut-Canada est très lié aux États-Unis. Dès 1804, le Haut-Canada est déjà un fort acheteur de produits américains. C'est lui qui profitera le plus de la demande de guerre américaine ou matière de produits agricoles. Beaucoup considèrent en pratique le Haut-Canada comme un tremplin utilisé par les États-Unis pour s'accaparer le marché de la métropole anglaise. Toutes ces conditions ont nettement favorisé la production agricole du Haut-Canada.

Il se développe donc une division régionale de l'agriculture de plus en plus accentuée, entre le Haut et le Bas-Canada, fondée sur deux modes différents de tenure, qui va mener à un **développement inégal régional de l'agriculture**. À la division régionale entre terres cultivées et forêts (source de bois), s'ajoute la division entre terres seigneuriales, où l'agriculture s'insère dans des rapports de production quasi féodaux, et terres à franc et commun soccage, où la propriété terrienne familiale prédomine.

5) La question de l'Assemblée

La venue de colons et marchands anglais pose avec acuité le problème de l'administration coloniale. L'Administration militaire établie dès 1760 est appropriée à une colonie où les conquérants sont en minorité, mais elle pose des problèmes dès que la proportion d'anglophones atteint un certain niveau. Dès 1763, la bourgeoisie marchande établie à Montréal réclame une assemblée élue et s'oppose au caractère autocratique du gouvernement militaire. La querelle de l'Assemblée débute en 1763 et dure de fait, jusqu'à la Rébellion de 1837-38.

Pour comprendre cette querelle, il faut se référer à la situation de la lutte des classes en Angleterre à l'époque. L'État anglais de 1763 est encore contrôlé par l'ancienne noblesse féodale devenue noblesse foncière et marchande. Les intérêts de cette classe vont se lier de plus en plus à ceux des bourgeois marchands, et bientôt industriels. À partir de 1780, la bourgeoisie, devenue classe dominante dans les faits, imprimera son caractère à l'état qui n'en continue pas moins d'être accaparée par la noblesse terrienne. Une lutte serrée se livre entre bourgeois (whigs) et nobles (tories) pour le contrôle du parlement. La lutte entre ces deux classes se répercute aux colonies.

Depuis la Conquête, la querelle n'a cessé de s'envenimer entre les marchands de Montréal, la nouvelle classe bourgeoise en montée, et les militaires, administrateurs de la colonie.

Les **Colonistes,** comme on appelle l'aile radicale de la bourgeoisie mercantile surtout cantonnée à Montréal, se sont toujours opposés à la politique de collaboration avec la noblesse canadienne-française, politique soutenue par les administrateurs en place. Ils réclament de plus en plus l'abolition du régime seigneurial, l'application des lois anglaises, la réforme radicale des structures de l'ancien régime par le moyen d'une assemblée élue où seuls les payeurs de taxe pourraient voter, c'est-à-dire dont ils auraient le contrôle. Il s'agit en fait d'une tentative de la bourgeoisie marchande d'obtenir une part majoritaire de l'appareil d'état colonial, part qu'elle arracherait aux militaires de souche noble. À Londres, les appels des bourgeois de Montréal sont entendus par la fraction des Lords du commerce, mais ceux-ci ne détiennent pas le pouvoir au parlement.

Contrairement à leurs aspirations, l'**Acte de Québec de 1774,** qui n'établit pas d'assemblée élective, constitue l'apogée de la conciliation avec l'ancienne classe dirigeante française. Cette législation est perçue comme une grande défaite par les marchands. L'établissement d'une Chambre de Commerce à Montréal en 1777 compense cependant cette absence d'institutions parlementaires, et est un instrument de revendication pour la bourgeoisie commerçante. Les tendances autonomistes face à la métropole s'accentuent. Un certain nombre de marchands de Montréal qui voulaient profiter du commerce avec les E.-U. (subiront l'importation) sympathiseront avec l'événement du Boston Tea Party, et iront jusqu'à envoyer du blé à Boston. La métropole est bientôt prévenue de ces écarts.

Les autonomistes de Montréal connaissent d'autres adversaires. À l'intérieur de la population anglophone s'est développée une contradiction entre marchands libre-échangistes surtout établis à Montréal, et les commerçants de la région des Grands-Lacs. Dès le début de la querelle de l'Assemblée (1790-1800), les capitalistes et les commerçants torontois défendent le point de vue de la métropole: leur activité économique est foncièrement liée à la métropole. Avec la commercialisation active du blé au Haut-Canada, les intérêts financiers et commerciaux ont tendance à se transformer en intérêts industriels (moulins, production de consommation...) contrairement à ce qui se passe au Bas-Canada à cause de la stagnation de l'agriculture. Ces nouveaux capitalistes industriels s'opposent aux visées ''annexionnistes'' (ou du moins autonomistes face à la métropole) des marchands de Montréal qui eux veulent augmenter les importations de produits agricoles américain, en concurrence à ceux du Haut-Canada. Les sympathies et les faveurs du gouvernement anglais vont vers des intérêts Haut-canadiens parce que ces derniers appuient la politique métropolitaine de protection du marché.

L'**Acte de 1791** constitue une offensive dans le but de neutraliser la minorité de marchands anglais de Montréal. Il divise la colonie en deux territoires (Haut et Bas-Canada) qui ont chacun un gouverneur, un conseil législatif et exécutif (les membres des deux conseils sont nommés par le gouvernement métropolitain, après avis du gouverneur) et une assemblée élue. En séparant la colonie en deux, on institue d'une part un territoire purement anglophone, d'autre part un territoire en majorité francophone, dont la loyauté est assurée par la participation des seigneurs et du clergé. L'Assemblée étant élue dès les débuts, celle du Bas-Canada tombe entre les mains des notables francophones. Les marchands doivent se contenter de postes sur les conseils, et d'une position minoritaire à l'Assemblée.

Loin d'améliorer les rapports entre les deux fractions de la classe dominante anglophone, le règlement politique, joint à la crise rurale qui sévit au Bas-Canada, a pour effet d'encourager les poussées annexionnistes. Nombre de marchands de Montréal collaboreront avec l'envahisseur américain en 1814-1815.

À l'Assemblée du Bas-Canada, les seigneurs et leurs alliés (notaires, clergé, etc...) se répartissent la majorité des postes. Le développement (limité) d'une agriculture de marché permet la formation d'une petite bourgeoisie professionnelle et industrielle canadienne-française qui va prendre de l'importance dès les débuts du 19ième siècle. Comme nous le verrons, son opposition aux marchands anglophones entraînera la Rébellion de 1837-38.

C - L'ÉCONOMIE COLONIALE

Jusqu'en 1840, et même après, l'économie canadienne est une économie de colonie, c'est-à-dire une économie tournée d'abord vers l'exportation de matières premières brutes ou semi-finies et de produits agricoles qui s'écoulent dans la métropole. Le premier produit important au Canada est les fourrures. Mais bientôt, avec la saturation du marché des fourrures, le bois joue un rôle accru dès les débuts du 19ième siècle. Le blé devient aussi un élément important du commerce avec la métropole. Donc, l'économie coloniale est tournée vers l'exportation de produits bruts et agricoles, c'est-à-dire, qui demandent très peu de transformation locale. Enfin l'économie dépend pour les exportations d'un nombre très limité de produits.

Pour expliquer le développement de l'économie canadienne et des rapports de classe au Canada dans la première moitié du XIXe siècle, il faut situer ce processus par rapport au **développement du stade concurrentiel du capitalisme,** qui lui-même a déterminé les politiques de **libre-échange** qui prévalaient à cette époque. En effet, à l'échelle européenne, le développement de la libre concurrence atteint son apogée entre 1860 et 1880. Cette période se caractérise par la lutte des pays industrialisés ("métropoles") pour exporter leurs marchandises, envahir les marchés internes et les dominer. Cette lutte (la libre concurrence) va amener la concentration de la production ("cartels"), laquelle, arrivée à un certain degré conduit au monopole. Le véritable début des monopoles modernes se situe, au plus tôt, vers 1860-70.

A cette époque antérieure de la libre concurrence capitaliste et de la production marchande en général, les pays "dominés" (colonies et autres) sont d'abord et avant tout des fournisseurs de matières premières et des acheteurs de marchandises, de produits finis, provenant de la métropole. En réalité, jusque vers 1840, jusqu'à l'abolition totale du système préférentiel, le Canada jouit de conditions spéciales de commerce avec l'Angleterre, le système économique de l'Empire britannique constituant une espèce de circuit fermé. Mais plusieurs manifestations (à partir de 1820) (exemple: Colonial Trade Act en 1831. Corn Laws en 1846) vont indiquer la montée progressive du libre-échange, correspondant aux besoins du développement de l'industrie anglaise.

1) Le bois

Tout au long du 19ième siècle, le bois sera un produit d'exportation majeur, subissant des fluctuations à la fois dans le volume des exportations et dans sa forme marchande (bois équarri, bois scié).

La demande de ce produit est tout de suite fonction de la conjoncture économique et politique en Europe. Dès les premières années du 19ième siècle, l'Angleterre entre dans une nouvelle voie d'expansion économique, l'approvisionnement en bois est capital pour le développement de la construction, pour celui des chantiers navals (rappelons l'importance de la flotte anglaise sur le plan politique). Le commerce le plus avantageux se fait d'abord avec la Baltique. À la suite du blocus napoléonien de 1805-09, qui entraîne une crise du bois de construction, l'Angleterre décide de réorienter son commerce en tirant avantage de ses colonies; la colonie d'Amérique du Nord devient fournisseur. Des marchands britanniques avaient déjà établi des filiales au Canada, suite à la guerre d'Indépendance américaine. L'essor des nouveaux centres industriels de l'Est, de même que la construction des chemins de fer ouvrent un marché non-négligeable.

Pour favoriser l'expansion de ce commerce, l'Angleterre doit offrir des garanties de nature à protéger les marchands anglais qui iraient investir aux colonies: le gouvernement impose donc les tarifs au commerce futur venant de la Baltique. Ce **système préférentiel** demeure la base de l'essor du commerce du bois au Canada. De 1804 à 1815 (chute de Napoléon), on assiste au développement prodigieux de l'exploitation du bois au Canada. De 1815 à 1823 la reprise du commerce international continue de favoriser la colonie grâce au système préférentiel. Le bois de la Baltique entre en concurrence, mais on maintient les tarifs élevés. En fait jusqu'en 1836, la position du commerce du bois s'améliore, les capitaux anglais ne cessent d'affluer. Le développement de cette industrie amène un stimulant à la construction navale au Canada.

Les commerçants de bois prennent une part active au peuplement de la colonie. Il s'agit pour eux d'assurer une meilleure rentabilité des transports de chargements de bois: un premier voyage vers la métropole livre le produit, le voyage de retour ramène des émigrants anglais. Cette politique cadre tout-à-fait avec les visées du gouvernement anglais: de 1820 à 1830, le processus d'industrialisation provoque des crises de chômage cyclique en Angleterre. Par suite des mesures d'expropriation, des centaines de milliers de paysans et d'ouvriers sont sans abri et crèvent de faim. L'émigration massive de ces gens a pour conséquence de minimiser les coûts sociaux de l'industrialisation en Angleterre. De 1823 à 1836, l'immigration anglaise au Canada augmente par année de 26% éliminant ainsi une partie de la surpopulation métropolitaine.

Les commerçants du bois (contrairement aux "barons de la fourrure") s'engagent dans des entreprises industrielles dans la colonie même: camps de bûcherons, moulins (de 1825 à 1840, le nombre de moulins passe de 394 à 963), chantiers navals. Ce commerce est donc, à la base du développement d'un secteur de l'industrie capitaliste au Canada: il donne naissance à une branche de la bourgeoisie industrielle canadienne (illustrant le processus de la transformation d'une partie de la bourgeoisie commerçante en bourgeoisie industrielle. Soulignons l'intérêt manifeste que portent nos voisins du Sud aux ressources du Canada. Dès 1830, des capitalistes de Boston possèdent 1 million d'acres de forêts au Québec et au Nouveau-Brunswick: les régions touchées sont systématiquement pillées. Après 1830, la préférence britannique décline sous la pression des "force libre-échangistes". Le commerce du bois s'articule de plus en plus à la demande américaine, motivée par une forte expansion urbaine et industrielle. En Ontario, le commerce sur les Grands-Lacs ne cesse de croître.

Le développement de l'industrie du bois au Canada n'est pas sans rapport avec celui de l'agriculture. D'abord nous avons vu la participation des compagnies d'export-import au peuplement de la colonie. Il faut aussi mentionner que la prolifération des camps de bûcherons entraîne une nouvelle demande en produits alimentaires (porc, farine, fèves, pommes de terre, avoine, foin) et en chevaux de trait. L'agriculture doit désormais se tourner vers un marché potentiel. De plus les revenus relativement plus élevés des bûcherons commencent à attirer les colons qui crèvent de faim sur leur terre. Ici encore, un **développement régional inégal** (encouragé par le maintien au Bas-Canada du système seigneurial et des lois françaises, et au Haut-Canada, par le système de tenure anglais et la politique de "libre entreprise") a pour conséquence une différence régionale dans l'exploitation du bois. (Au Bas-Canada, le bois n'est exploité sur les terres seigneuriales que comme activité d'appoint, pendant la saison morte on interdit au censitaire d'en faire directement le commerce, ceci dans le but évident de maintenir la domination économique du seigneur sur ses censitaires. Les seigneurs veulent garder les paysans sur la terre et le commerce du bois est vu comme une activité concurrentielle. Dans le Haut-Canada et les concessions anglaises du Bas-Canada (vallée de l'Outaouais et Cantons de l'Est), les deux secteurs se combinent différemment; le plein développement de l'industrie du bois appelle celui de l'agriculture comme pourvoyeur de produits alimentaires.

2) Le commerce du blé et l'agriculture: les vicissitudes de l'agriculture seigneuriale

Il est important d'examiner comment évolue le commerce du blé avec l'Angleterre, dans la première partie du 19ième siècle, car ce commerce a fortement influencé l'agriculture québécoise. Les exportations de blé prennent un essor remarquable entre 1892 et 1807 surtout à cause des guerres en Europe. D'autre part, la production anglaise de blé devient insuffisante à la suite d'une série de mauvaises récoltes. L'Angleterre compte alors sur les échanges avec les colonies pour assurer la production de ce moyen de subsistance unique: le blé constitue l'aliment de base qui sert à reproduire la force de travail du nouveau prolétariat engagé dans l'industrie. Il importe aux classes dominantes anglaises de fournir cet aliment au plus bas prix, de façon à abaisser le coût de la reproduction de la main-d'oeuvre (les salaires). Les marchands anglais de Montréal vont prendre en main le commerce.

La prospérité soudaine de ces échanges permet à un certain nombre de paysans d'acquérir un pouvoir d'achat, et à une fraction de la bourgeoisie commerçante de se transformer en bourgeoisie industrielle en traitant les produits agricoles dans le pays. Au Haut-Canada, des conditions différentes d'exploitation, et des facilités relatives d'établissement de moulins, de crédit, favorisent le commerce de la farine plus que celui du blé. Ce commerce s'avère beaucoup plus rentable; le transport est moins encombrant, et cette activité stimule à son tour la construction de moulins et d'entrepôts, développe un marché interne. Le développement inégal régional transparaît aussi en rapport avec ce type de production; il ne découle pas d'aptitudes raciales au commerce, mais bien de conditions objectives déjà décrites (p. 14).

Le **Corn Law** de 1822 favorise l'exportation de blé canadien, tout en maintenant la concurrence des récoltes anglaises. Les bonnes années de récoltes en Angleterre font automatiquement baisser les prix, si bien que les revenus des paysans baissent aussi. À mesure qu'on avance dans la première moitié du 19ième siècle, on s'aperçoit que le volume des exportations de blé régresse rapidement: on passe de 600,000 boisseaux en 1801 à 296,000 boisseaux en 1838. Cette baisse est due à la concurrence du blé américain et aux bonnes récoltes anglaises. Pour ce qui est de l'agriculture canadienne, les effets ne sont pas uniformes. Le Haut-Canada, à cause de techniques plus modernes, hausse sa productivité et entre dans la compétition pour accaparer le marché anglais. Évidemment, beaucoup de paysans pauvres ne peuvent opérer les changements nécessaires à la production pour concurrencer le blé américain. Au Bas-Canada, à cause du développement de l'agriculture à l'intérieur du régime seigneurial, l'immense majorité des paysans est durement touchée par la concurrence américaine.

Il faut approfondir les **conditions** objectives qui déterminèrent le retard économique du Bas-Canada. Nous avons réalisé quelles visées politiques sert le maintien du système seigneurial au Bas-Canada. Il importe maintenant de se rendre compte des implications économiques et sociales de cet état de chose.

Nous savons que le censitaire du régime seigneurial est astreint à certaines obligations: 1) il doit payer la rente en espèce ou en nature, proportionnelle à la grandeur du lot (elle fut augmentée après la conquête); 2) une taxe de vente ("lods et ventes") est fixée au 1/12 de la valeur de l'établissement, et est payée à chaque changement de propriétaire légal; 3) le censitaire doit payer un certain montant pour l'usage du moulin du seigneur: la banalité; 4) un travail obligatoire de plusieurs jours par année sur les propriétés du seigneur s'appelle la corvée; 5) le seigneur a re-institué ses droits féodaux de chasse, de pêche, de coupe de bois. En somme le régime oblige le censitaire à se lancer dans la commercialisation des produits, mais l'empêche d'exploiter le bois sur une base commerciale, de créer des établissements industriels. Ces réglementations furent de rigueur pendant 80 ans après la Conquête. Cet asservissement du peuple canadien-français sert des intérêts politiques bien particuliers.

Mentionnons également les conséquences économiques de l'application de la loi civile française, en ce qui concerne l'établissement et l'héritage. Durant la domination française, des conditions particulières, liées à la protection contre les Indiens et les Anglais, ainsi que des difficultés de transport, imposaient une forme d'établissement des lots spécifique à la vallée du St-Laurent: les terres étaient divisées en bandes étroites, serrées les unes contre les autres. La loi d'héritage française prévoit de donner part égale à chacun des enfants. Cependant dès 1740, on interdit la subdivision des lots pour forcer les jeunes à aller coloniser les terres vierges. Le système de subdivision sera repris après la Conquête. De génération en génération on divise donc les terres en bandes de plus en plus étroites (jusqu'à constituer des lots de 200 pieds de large par 1 mille de long). L'exiguïté des terres qui s'ensuivit empêche la rotation des cultures et l'utilisation efficace des progrès techniques. Cette loi sur les droits d'héritage ne sera abolie qu'en 1864. Entre temps, une crise agricole liée à la mauvaise conjoncture du marché anglais s'amorce dès 1802. Une misère intense en résulte pour le peuple. La crise ne fera que s'accentuer avec la baisse de productivité agricole qui s'aggrave à partir de 1810. Les causes de cette baisse de productivité sont a) les techniques agricoles peu développées et b) la surpopulation. Sans rotation des cultures, sans jachères ni engrais, la terre s'appauvrit et la productivité agricole baisse en flèche. Quant à la surpopulation, elle est liée à l'absence d'expansion des terres seigneuriales après 1763 et à l'impossibilité pour les paysans, trop pauvres, d'acheter des terres à l'extérieur des seigneuries. La seule solution est l'extension de l'agriculture aux terres seigneuriales non encore cultivées. C'est ainsi que, de 1784 à 1831, l'espace occupé à l'intérieur du territoire seigneurial augmente de 138%. L'espace cultivé à l'intérieur de chaque parcelle concédée s'accroît lui aussi. Cependant, dans la même période, la population canadienne-française augmente de 234%!

Ne pouvant vendre leur blé, les paysans sont forcés de se replier sur une agriculture de subsistance, fondée sur la pomme de terre, le pois et l'élevage à petite échelle. Étant donné l'appauvrissement croissant des terres, la sous-alimentation est endémique. Cette situation ne fera que s'empirer jusque vers 1850, au moment où s'ammorce au Québec le développement de l'industrie laitière.

De nombreux seigneurs tentent de s'enrichir à partir des conditions de surpopulation agricole. Ils gardent les meilleures terres pour faire monter soit les prix soit leurs rentes. La spéculation s'installe. Au lieu de concéder les terres sur demande comme au 18ième siècle, les seigneurs deviennent avares de concessions, même de terres non-défrichées. De plus, ils réactivent des droits tombés en désuétude. Cependant, dans l'ensemble, bien peu de seigneurs s'enrichissent de ces pratiques, car la pauvreté des censitaires elle-même limite leurs revenus.

Quant aux territoires non-occupés par les seigneuries, c'est-à-dire les régions du Haut-St-Laurent, des Grands-Lacs, de l'Outaouais et des Cantons de l'Est, ils pourraient être défrichés, mais les paysans francophones n'ont pas les fonds pour acheter ces terrains. Ils sont donc forcés de survivre difficilement sur les petites parcelles surpeuplées à l'intérieur des seigneuries. En 1831, Londres passe une loi pour bloquer les concessions de terres seigneuriales, empêchant donc les censitaires de s'établir sur des terres vierges.

Cette situation a des conséquences importantes à tous les niveaux.

1) Les terres sont cultivées sans leur laisser le temps de se régénérer;d'une part l'absence de grandes étendues empêche l'emploi de la jachère. D'autre part l'origine non paysanne des agriculteurs canadiens-français a pour effet la non utilisation des engrais et de la rotation des cultures. D'où baisse de tendement du terrain.

2) Le manque de revenu dû à l'exiguïté des terres et à la baisse du rendement empêche les paysans d'employer de la machinerie. (Comme on peut le voir, l'absence de techniques n'est pas due à une supposée mentalité traditionnelle mais bien à un manque de revenu et de connaissances agricoles). L'utilisation de la machinerie agricole suppose l'existence d'une économie de marché; elle entraîne dans la voie du développement capitaliste dans l'agriculture. Mais l'agriculture seigneuriale impose trop de limites à l'économie de marché: elle se referme sur elle-même et connaît une baisse de productivité.

3) Les baisses de rendement forcent les seigneurs à abaisser le cens, réduisant ainsi leurs revenus, et les obligeant souvent à vendre leur concession.

4) Passé un certain seuil de pauvreté, le paysan est forcé de quitter la terre et d'**émigrer**, en général aux États-Unis, pour travailler dans les industries du textile qui s'y établissent, et dans les chantiers.

5) Le bas niveau des rendements (et ces rendements vont en décroissant) ainsi que les autres facteurs déterminant la production, engendrent une agriculture de quasi-subsistance au Bas-Canada. Ce type d'agriculture devient un obstacle sérieux à la création d'un **marché**.

En effet, le processus fondamental de la formation d'un marché interne (il faut entendre ''le développement du mode de production capitaliste'') demeure la **division sociale du travail**. Le régime seigneurial, place toutes sortes d'obstacles à cette division, en entretenant des relations de domination quasi-féodale, en engendrant une production d'auto-subsistance, artisanale. Le régime seigneurial fait ainsi obstacle à la **libre** circulation des marchandises (écoulement des produits de consommation-production par le marché), à l'extension du travail salarié "libéré" (au sens où le mode de production capitaliste "libère" la force de travail en la dépossédant de ses moyens de production, en la rendant disponible, "libre" face à l'employeur). L'industrie capitaliste ne se construit que sur la destruction du mode de production féodal comme mode de production dominant, c'est-à-dire la destruction d'une économie agraire auto-suffisante. Le maintien du système seigneurial freine considérablement le développement agricole, ce qui empêche les censitaires de profiter du commerce du blé vers l'Angleterre, et de celui du foin et des chevaux vers les États-Unis. De plus, le retard du développement de l'économie monétaire dans les campagnes a des conséquences nocives pour la nouvelle classe de petits-bourgeois entrepreneurs qui se crée autour de l'agriculture (distillerie, brasserie, tannerie, moulin, etc.).

La crise agricole au Bas-Canada mène à des hivers de famine et d'épidémies. On peut dire que cette crise fut la cause principale de la participation des paysans à la rébellion de 1837-38. Elle permet également de rallier de nombreux sympathisants chez les petits paysans anglophones du Haut-Canada. Quant à la petite bourgeoisie locale, elle profite de la crise pour s'assurer l'appui des paysans dans sa lutte pour la fin du régime seigneurial et la création d'une industrie locale de transformation des produits agricoles.

Des intérêts divergents se forment entre les **marchands anglais** "libre-échangistes" et la **population agricole** de la colonie, qui, elle, craint la concurrence américaine. En 1831, la métropole passe le **Colonial Trade Act** qui abolit tous les droits de douane pour les produits agricoles qui entrent aux colonies nord-américaines. C'est la porte ouverte au commerce américain, d'autant plus que les chemins de fer américains sont maintenant à même de relier les vastes champs de blé du Middlewest aux ports de l'Est. Cette politique de la métropole entre en nette contradiction avec l'état de dépression de la colonie; pour le gouvernement anglais c'est l'occasion de faire baisser le prix du blé. Les marchands anglais libre-échangistes y voient l'opportunité de servir d'intermédiaires. On cherche à conserver la suprématie commerciale du port de Montréal en poussant la construction de la voie maritime du St-Laurent. Ces projets suscitent la résistance acharnée de la petite-bourgeoisie industrielle canadienne-française, opposée au libre-échange et alliée aux intérêts des paysans.

D - ÉVOLUTION DES RAPPORTS POLITIQUES ENTRE CLASSES DOMINÉES ET DOMINANTES

1) *La petite-bourgeoisie et l'Assemblée: la rébellion 1837-38*

À côté des seigneurs du Bas-Canada s'établissent des notables professionnels: médecins, avocats, notaires, qui doivent eux aussi leur revenu aux paysans. En effet, leur clientèle est en bonne partie paysanne. Il existe aussi des professionnels urbains dont les intérêts sont liés au clergé et aux seigneurs. Peu à peu, avec les progrès du commerce il s'établit un groupe d'industriels de petite envergure, qui se spécialisent dans la transformation des produits agricoles. Ces petits industriels doivent aussi leur situation à l'agriculture. Les matières premières qu'ils utilisent viennent des paysans.

Entre les anciens notables et les nouveaux (professionnels et industriels ruraux) s'établit une certaine opposition. En effet, l'intérêt des premiers est de maintenir le statu quo, c'est-à-dire, maintenir le régime seigneurial, les rentes, empêcher qu'une économie monétaire vienne saper les bases du système. Quant aux seconds, leur but est d'augmenter la production des biens dont ils ont besoin, et de faire en sorte que les produits soient achetables sur le marché. Le régime seigneurial empêche ces deux effets; les industriels et les professionnels réclament donc son abolition. Cette petite-bourgeoisie s'oppose à l'ancienne classe des propriétaires terriens qui les empêche de maximiser leurs profits.

La querelle entre ces deux fractions de classe est reportée au niveau de l'Assemblée où, peu à peu, les membres de la nouvelle petite bourgeoisie remplacent les seigneurs. Ceci est dû surtout au fait de leur relation plus directe avec les paysans, et aussi à leur politique qui vise à abolir les privilèges seigneuriaux dont les paysans souffrent de plus en plus. En 1834, malgré la cabale du clergé, les votes soutiennent massivement les députés radicaux qui représentent fondamentalement les intérêts de cette nouvelle politique industrielle. Ceci force les seigneurs à chercher refuge et appui du côté du conseil où ils partagent les postes avec les marchands de Montréal et les administrateurs.

Les marchands anglais de Montréal sont dans une position assez inconfortable. Mis en minorité dans le Bas-Canada à cause de la séparation des deux Canadas, ils ne peuvent contrôler l'Assemblée qu'ils ont demandée vigoureusement. Cette situation s'explique par la contradiction qui existe entre la politique de la métropole (Londres craint l'indépendance de la colonie) et les intérêts de la bourgeoisie commerçante de Montréal. Avant 1810, la position minoritaire des marchands au sein de l'Assemblée ne les empêchait pas d'y jouer un rôle prépondérant, appuyés par les seigneurs. Mais avec la montée de la petite-bourgeoisie de notables et industriels, les marchands perdent le contrôle et doivent prendre place au conseil en compagnie de leurs anciens ennemis: les administrateurs. Les intérêts des marchands entrent en conflit avec ceux de la petite-bourgeoisie locale: le conflit se manifeste clairement lors des querelles au sujet de la canalisation du St-Laurent, et des revendications de l'Assemblée pour le contrôle des subsides et des budgets.

Les marchands de Montréal cherchent à contrôler la plus grande partie du marché des céréales vers l'Europe; ils veulent pouvoir acheminer par voie maritime le blé du Haut-Canada et du Middlewest américain. Comme les américains ont aménagé des canaux pour transporter leur blé vers New-York, il faut donc offrir de meilleures conditions de transport. Le Haut-Canada, dont l'économie dépend de la possibilité d'expédier le blé vers l'Angleterre, débourse rapidement des fonds publics pour exécuter les travaux de canalisation. Il n'en est pas de même dans le Bas-Canada.

L'Assemblée, contrôlée par la petite-bourgeoisie canadienne-française, a peu d'intérêt à développer le commerce extérieur, et désire garantir un niveau de revenu paysan raisonnable. Elle s'oppose à l'octroi de crédits publics pour ces travaux: car ceux-ci auraient été obtenus en majeure partie d'impôts touchant les paysans, et d'emprunts venant des marchands de Montréal. La petite-bourgeoisie canadienne-française s'oppose à l'une de ces mesures pour ne pas grever les paysans outre mesure, et à l'autre pour ne pas financer les marchands anglophones qui ne demandent qu'à s'enrichir avec les deniers publics. Le commerce international étant pour eux secondaire, ils boycottent par le moyen de l'Assemblée les réformes envisagées par les conseils.

Les marchands ne s'avouent pas vaincus et tentent plusieurs fois, au moyen du conseil, de forcer l'octroi des fonds, mais en vain. La querelle s'envenime. Les seigneurs et le clergé ne peuvent rester hors d'atteinte, car la petite-bourgeoisie, appuyée par les paysans mène une action soutenue contre le régime seigneurial. Les anciens notables, pour se défendre, se tournent donc vers les administrateurs anglais et les marchands, dans l'espoir de conserver leurs privilèges.

Cette situation où une petite-bourgeoisie locale, avec des intérêts locaux et sans besoin de commerce international, s'oppose à la fois aux anciens notables et aux marchands anglais (pour lesquels l'Assemblée ne doit être qu'un instrument pour promouvoir leurs intérêts) engendre rapidement les soulèvements armés de 1837-38. Les Patriotes de 1837 ont des sympathisants chez les Réformistes du Haut-Canada, à majorité paysans et journaliers (80%): les premières victimes de la crise économique. De nombreux soulèvements sporadiques ont lieu à Toronto: des centaines de manifestants revendiquent la libération du Canada de l'ingérance des coloniaux britanniques. La répression est sanglante et immédiate. Dans cette perspective, on ne peut qualifier la petite-bourgeoisie de réactionnaire, mais bien, d'une **classe bourgeoise nationale en création,** dépendant de la production et des marchés locaux, s'opposant à une classe marchande coloniale. Ainsi analysée, la petite-bourgeoisie apparaît peut-être comme plus dynamique, car elle tentait de créer une infrastructure industrielle locale. Leur dépendance face à l'agriculture a mené plusieurs auteurs à les qualifier injustement de ''réactionnaires''.

Nous pouvons analyser ce conflit sur le plan à la fois des contradictions économiques et des contradictions politiques qu'il exprime. Contradiction politique d'une part entre un développement capitaliste national qui s'organise, et d'autre part la domination coloniale mercantile de la métropole. Sur le plan économique, on assiste encore là à un des multiples affrontements entre des classes appartenant à des modes de production différents dans la même formation sociale: capitalistes industriels versus capitalistes marchands et propriétaires terriens. Les dernières manifestations du système féodal sont progressivement éliminées.

Le résultat de cette confrontation est:
a) la disparition de la fraction industrielle de la petite-bourgeoisie;
b) la prise en main de la paysannerie par une coalition des seigneurs, du clergé et des professionnels cléricaux. On assiste à la naissance d'une nouvelle classe collaboratrice au Québec; la petite-bourgeoisie cléricale;
c) la disparition du radicalisme paysan;
d) l'Union des deux Canadas, avec comme conséquence la perte du contrôle d'une Assemblée francophone élue;
e) l'abolition en 1854 du régime seigneurial.

Mais la classe qui a le plus profité de cette défaite est sans conteste celle des marchands de Montréal et du Haut-Canada.

2) *Le règlement politique: l'Union*

L'Union des deux Canadas est envisagée par la métropole et ses émissaires (Lord Durham) comme solution à la fois politique et économique aux troubles de la colonie. Elle vise deux objectifs majeurs. Premièrement, restaurer selon la vieille politique coloniale de l'Angleterre le pouvoir stable de l'Empire en instituant un gouvernement qui ne soit responsable que devant Londres. En ce sens, on planifie la complète expulsion des Canadiens-Français du pouvoir politique, et leur assimilation totale. Pour Londres, le peuple français est le responsable de la contestation, il est un accroc à l'intégrité de la colonie, un noyau de troubles. La constitution de 1840 crée une seule Assemblée et un seul Conseil exécutif pour la Colonie, en accordant autant de sièges à la population du Haut-Canada même si elle est inférieure à celle du Bas-Canada. L'hégémonie politique anglophone est assurée. On pourra ainsi réaliser le deuxième objectif qui vise à moderniser les structures administratives en fonction des investissements britanniques. Les marchands contrôlent l'Assemblée et ont libre jeu de faire voter les octrois pour la canalisation de la voie maritime.

Nous savons à quel point ce moyen de communication est vital à l'économie du Haut-Canada: le gouvernement du Haut-Canada cherchait depuis longtemps à faire assumer cet endettement au Bas-Canada. En 1840, les dettes du Haut-Canada qui compte 400,000 habitants, se chiffrent à 1,398,855 livres, alors que celles du Bas-Canada montent à peine à 137,596 livres pour une population de 650,000 personnes. Le projet d'Union règle donc les problèmes fiscaux du Haut-Canada en faisant supporter la charge économique par le Bas-Canada. La métropole favorise encore les marchands anglais en passant en 1843 le **Canada Corn Act** qui accorde un tarif préférentiel au blé canadien vendu sur le marché européen, et cette loi est valable pour le blé américain moulu au Canada et exporté par la voie maritime du St-Laurent. Il s'agit ici d'une sorte de compromis entre la tendance au système préférentiel colonial et la tendance à l'ouverture internationale du marché; au libre-échange. Il est à remarquer que le coût de la construction des canaux n'est pas défrayé équitablement par les deux bénéficaires, Canada/États-Unis: les États-Unis sortent nettement gagnants dans cette transaction, surtout avec l'abolition progressive des tarifs préférentiels Canada/Angleterre, qui dirige peu à peu le commerce du blé du Haut-Canada vers le Sud.

Le gouvernement d'Union, par son caractère de dépendance face aux intérêts britanniques, ne peut satisfaire la nouvelle bourgeoisie d'affaire canadienne. Il faut examiner les contradictions qui se réflètent au niveau du gouvernement de la colonie, de même que la conjoncture politique et économique internationale qui commandent ces développements.

Produits d'un lot de ferme.
Les cultivateurs sont obligés de combiner d'autres types d'activités pour arriver à se maintenir sur la terre. C'est l'industrie du bois qui bénéficie le plus de ce travail supplémentaire de l'agriculteur.

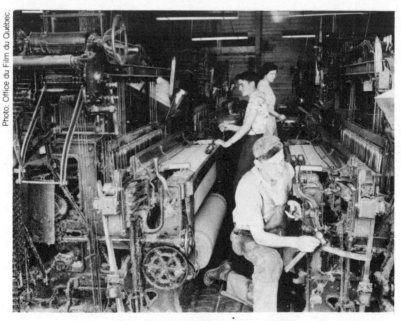

Une filature à Plessiville, 1950.
L'expropriation massive des petits producteurs agricoles dans cette période a évidemment pour effet de grossir les rangs de la classe ouvrière canadienne. De nombreuses industries, à faible composition organique du capital, s'installent dans les petites villes, de façon à bénéficier directement de cette main d'oeuvre à bon marché, issue des campagnes.

CHAPITRE II
CONSTRUCTION D'UN MARCHÉ NATIONAL
1840-1896

A - DEMANTELEMENT DU SYSTÈME PRÉFÉRENTIEL ANGLAIS ET ABOLITION PROGRESSIVE DE L'ANCIEN RÉGIME: 1840-1867

1) *La conjoncture internationale*
a) L'Angleterre et l'avènement du libre-échange

Les progrès de l'industrialisation capitaliste en Angleterre exige que le parlement revise sa politique coloniale. L'industrie capitaliste a besoin d'un marché libre: c'est-à-dire ouvert à l'écoulement des marchandises et à l'approvisionnement en matière premières. Devenue capitaliste la 1ère, et adoptant le libre-échange vers le milieu du XIXe siècle, l'Angleterre prétend au rôle d'"'atelier du monde entier", de fournisseur en articles manufacturés de tous les pays qui devaient, en échange, la ravitailler en matières premières. Les anciennes traditions coloniales constituent un obstacle à la "libre compétition" Le libre-échange correspond donc aux nouveaux besoins industriels alors dominants en Angleterre; approvisionnement en matières premières au plus bas prix, entretien de la main-d'oeuvre au plus bas prix. De 1842 à 1860, c'est le début de la baisse des tarifs préférentiels jusqu'à leur disparition complète. Conséquemment, l'Angleterre intensifie son commerce avec les marchés plus profitables de la Baltique (bois), de l'Europe de l'Est (blé), du Sud des États-Unis (coton). L'économie capitaliste entre dans une **phase concurrentielle**. Le caractère antagonique de l'accumulation capitaliste primitive ne s'affirme nulle part plus brutalement que dans le mouvement progressif de l'agriculture anglaise et la détérioration des conditions de vie du cultivateur anglais. Le dépeuplement des campagnes en Angleterre suit pas à pas l'extension et l'intensification de la culture, l'accumulation du capital incorporé au sol. Tous ces éléments coïncident avec le développement rapide et continu des débouchés urbains et l'avènement nécessaire du libre-échange. De 1851 à 1861, l'Angleterre connaît une croissance industrielle prodigieuse: l'ensemble des exportations-importations du Royaume-Uni passe de 268, 210, 145 livres sterling en 1854 à 449, 923, 285 livres sterling en 1865.[1]

---

1. Marx, K. **Le Capital**, livre I, Lais, Garnier, 1969, p. 476.

Durant les années 1840..., l'Angleterre affronte des situations politiques difficiles. Au Canada, on se relève à peine de la Rébellion de 1838; en Irlande c'est la famine et la révolte (en moins de 20 ans, le pays perd plus des 5/16 de sa population); la condition économique générale du prolétariat des colonies est misérable; un peu partout en Europe éclatent des révolutions démocratiques... bref il devient beaucoup plus profitable de reviser la politique coloniale. On octroie de plus en plus "d'autonomie" aux colonies, pour qu'elles soutiennent elles-mêmes leurs propres charges, économiques, politiques et sociales. Ce qui amène Londres, par exemple, à réformer l'Acte d'Union en 1847-48, en concédant un gouvernement responsable au Canada. L'entrée de l'Angleterre comme puissance industrielle mondiale l'oblige à formuler une nouvelle politique économique. À l'apogée de la libre concurrence en Angleterre entre 1840 et 1870, les dirigeants politiques bourgeois du pays sont contre la politique coloniale, considérant l'émancipation des colonies, leur détachement complet de l'Angleterre, comme une chose utile et inévitable, Disraeli disait en 1852: "les colonies sont des meules pendues à notre cou".

b) La concurrence américaine

Des conditions matérielles spécifiques favorisent le développement du mode de production capitaliste aux U.S.A. Les États-Unis n'ont pas eu à subir le retard infligé par une domination coloniale prolongée. Face au Canada de 1850, ils jouissent d'une puissance économique indéniablement supérieure.

Avant 1850, l'économie américaine est surtout basée sur l'agriculture: le coton américain s'engouffre dans les filatures et les tissages de Grande-Bretagne tandis que l'industrie métallurgique anglaise envoie aux U.S.A. les rails et les machines indispensables à l'Ouest et aux villes manufacturières. Les États-Unis, et principalement le Sud, restent étroitement liés économiquement à l'Angleterre. Entre 1846 et 1850, 40% des importations et 50% des exportations dépendent de la Grande-Bretagne. Cependant, durant toutes ces années (1810-1867) les conflits d'intérêts se manifestent de plus en plus entre le Nord, qui réunit toutes les conditions d'un développement industriel rapide et "prometteur" (les chemins de fer, la spéculation foncière dans l'Ouest, le développement bancaire); et le Sud dont l'économie agricole est dépendante du commerce avec l'Angleterre. Les conflits se polarisent surtout autour de la **question des tarifs douaniers**: le Sud opérant continuellement des pressions pour l'abaissement des tarifs (donc favorisant la politique du libre-échange), alors que dès 1824, les industriels du Nord obtiennent une élévation du droit de douane pour lutter contre le "dumping" des produits manufacturés anglais. Une lutte incessante s'amorce, lutte qui devra mener à la guerre de Sécession et au triomphe du protectionnisme. Pendant cette période où le libre-échange pré-dominant, les Etats-Unis tirent profit des conditions préférentielles pour s'introduire sur le marché anglais, et intervenir dans le commerce canadien. Les États-Unis abolissent également les droits de douanes sur les produits européens et canadiens. Les coûts de transport du blé canadien vers l'Angleterre sont moins élevés par la voie du canal Érié via New York, que par les canaux menant à Montréal. En conséquence, le trafic du blé canadien est dévié en grande partie vers les États-Unis comme port d'exportation vers l'Europe. Le fameux **Traité de Réciprocité de 1854** favorise l'Angleterre à la fois pour des raisons politiques et économiques: en effet, les investissements britanniques qui financent les chemins de fer canadiens vont profiter de cet accroissement du commerce Nord-Sud, (i.e. Canada/U.S.A.) même si cette politique retarde le développement industriel autochtone et ne constitue qu'un mauvais palliatif à l'impasse économique de la colonie. Mais aussi, le traité a pour effet secondaire de neutraliser les U.S.A. sur le plan politique (en Europe, deux impérialismes s'affrontent: l'Angleterre et la France contre la Russie tsariste (guerre de Crimée)). Enfin, cette tractation est présentée comme alternative aux Annexionnistes du Canada; en effet, l'idée de l'Annexion recueille de plus en plus de sympathies à cause de la crise économique au Bas-Canada.

Voyons un peu quelles sont les principales implications du traité. L'Angleterre abolit les tarifs pour les produits naturels (le bois de planche est considéré comme matériel brut et n'a pas de charges tarifaires), accorde des privilèges pour les pêcheries des Maritimes, et tous les accomodements de navigation sur le St-Laurent et le lac Michigan. Les produits manufacturés américains (60% des importations canadiennes), de même que le blé américain, envahissent le marché canadien, et les américains peuvent en retour s'engager dans l'extraction de nos ressources naturelles. Les compagnies de chemins de fer canadiennes servent à accélérer l'extraction et l'exportation des matières premières. La construction des chemins de fer est soutenue par des intérêts britanniques mais aussi canadiens. La création de la Banque de Montréal en 1817 témoigne de cette nécessité pour les marchands de Montréal de consolider le capital-bancaire.

La perte de la préférence sur le marché anglais et l'insuffisance de débouchés sur les marchés locaux amène le Canada à orienter son commerce en fonction des besoins américains. Le Haut-Canada surtout profite de cette conjoncture à cause du commerce du blé. Entre 1853 et 1860, le commerce double entre Canada et États-Unis. La Guerre de Sécession apporte un autre stimulant au commerce en augmentant la demande de produits alimentaires, de chevaux, de bois... Cependant, la Guerre de Sécession implique les relations politiques avec l'Angleterre. Dès le début, l'Angleterre appuie les états esclavagistes du Sud, parce que fournisseurs de coton pour les industries textiles anglaises; de plus, le Nord industriel est un rival économique sérieux sur le plan du commerce mondial. Au Canada, les prises de positions sont plus mitigées: les "progressistes" (souvent annexionnistes) appuient la lutte anti-esclavagiste du Nord et soutiennent la politique d'expansion du Nord, alors que la classe dirigeante anglaise craint cette expansion. La victoire du Nord engage les États-Unis dans une voie de reconstruction nationale. La charge de la dette publique de même que les problèmes monétaires issus de la guerre entraînent le protectionnisme. En 1866, le Traité de Réciprocité est aboli. Les hauts tarifs douaniers ont pour effet inévitable de hâter la concentration et la formation d'unions monopolistes de patrons.

c) Conflit d'intérêts au Canada

Sur la scène canadienne, les répercussions de la conjoncture internationale se font vite sentir. Au début de cette période, les marchands anglais représentent encore la fraction de classe dominante dans la colonie. Leurs intérêts économiques se situent dans l'expansion du commerce avec la métropole. Après la perte du marché préférentiel (et l'échec économique de la voie maritime), les marchands ne voient leur survie qu'en concurrençant le transport américain par les chemins de fer. Il s'agit, en fait, d'une tentative d'adapter l'économie canadienne (en pleine dépression) aux conditions créées par la disparition des préférences britanniques. Les marchands espèrent par ce moyen, d'une part, développer les exportations de produits alimentaires et matières premières vers les U.S.A. (ce qui amène le Traité de Réciprocité), d'autre part, s'attribuer une partie du commerce d'exportation des céréales américaines vers l'Europe. En réalité, des coûts de production et de transport trop élevés, ajouté à l'évolution des rapports économiques internationaux, ne permirent jamais une concurrence favorable au Canada. De 1827 à 1850, les importations de capitaux britanniques se chiffrent à 60 millions, dont plus de la moitié en dépenses militaires. Ces capitaux financent la construction du réseau de communication (canaux et chemins de fer) et sont absorbés en majorité par le Haut-Canada.

Les compagnies canadiennes sollicitent des emprunts privilégiés sur le marché de Londres, totalisant 15 millions de dollars entre 1841 et 1849, 100 millions entre 1850 et 1859 (boom de la construction des chemins de fer), et 46 millions entre 1860 et 1867 [1]. De 1850 à 1860, le nombre de milles de chemin de fer canadien monte de 66 à 2065! [2] Une étude plus précise de ce phénomène devrait démontrer le lien vital qui unit les chemins de fer à la grande production, aux monopoles, aux syndicats patronaux, les cartes, les trusts, les banques, avec l'oligarchie financière. La construction du chemin de fer au Canada a été un instrument privilégié pour la consolidation des intérêts à long terme de la bourgeoisie industrielle canadienne, car il a instauré les conditions propices au développement d'un marché capitaliste international. Nous passons sous silence les très nombreux scandales de détournement de fonds, de spéculation sur les terres, sans parler de l'exploitation de la force de travail, qui valent aux promoteurs des chemins de fer (banquiers, commerçants et industriels) une puissance financière inégalable à l'époque. Le gouvernement de l'Union doit, lui, assumer une dette publique énorme étant donné ses revenus. Il a recours à une élévation des droits à l'importation de marchandises; mais ce gouvernement offre alors un type de compensation qui pénalise finalement les producteurs canadiens: abaissement du coût des exportations de produits alimentaires et matières premières vers l'Angleterre. Les industriels canadiens commencent à se regrouper pour formuler leur opposition à la politique de libre-échange qui permet l'invasion du marché canadien par les produits manufacturés des U.S.A. et de la Grande-Bretange. Leur demande

---

1. Bonin, 1967
2. Easterbrook

est pratiquement mise en retrait à cause du développement des chemins de fer; qui sert d'abord les intérêts des commerçants libre-échangiste, mais cette opposition continuera à se structurer davantage.

2) L'économie canadienne
a) Situation de l'agriculture

Il semble que nous pouvons distinguer pour cette époque deux périodes majeures dans l'orientation de la production agricole canadienne. Une première étape verra l'abolition progressive des privilèges du commerce du blé anglais et le transfert d'influence au marché américain. La deuxième étape se situe à partir de l'abrogation du Traité de Réciprocité et des profonds remaniements qui dirigent la production agricole vers l'industrie laitière. Conséquemment à nos prémisses, nous verrons comment évolue le développement inégal Haut-Canada/Bas-Canada dans cette conjoncture particulière.

Bas-Canada

Incapables d'affronter la concurrence du Haut-Canada et du MiddleWest américain, les colons délaissent progressivement la culture du blé, et se replient sur une production d'auto suffisance basée sur la pomme de terre, le lin, l'avoine, le sarrasin, les pois, l'élevage du mouton. Stanley Ryerson cite un géographe français qui décrit la condition de l'habitant en 1827:

"Ils cultivent le lin, et leurs moutons leur fournissent la laine avec laquelle ils tissent leurs vêtements; ils tannent la peau de leurs bêtes et en fabriquent des mocassins et des bottes. Les colons tricottent leurs bas et leurs tuques, tressent leurs chapeaux de paille. Ils fabriquent des produits de leur terre, pain, beurre, fromage, savon, chandelles, sucre... et construisent les meubles, charrues, roues, canots, etc..."[1]

Certains historiens (Hamelin et Roby, par exemple)[2] portent jusqu'en 1870 le maintien de l'autarcie agricole, c'est-à-dire jusqu'à la nouvelle spécialisation dans la production laitière. Entre temps, la guerre de Sécession américaine contribue quelque peu à relancer la production agricole de l'Est: il y a forte demande d'avoine, d'orge, d'oeufs, de poules, de beurre (les produits laitiers), de chevaux et de foin. Mais les producteurs du Bas-Canada ne sont pas en mesure de satisfaire cette demande, à cause des conditions de production créées par le maintien du système seigneurial.

Cet état de repliement économique empire la condition déjà misérable des colons. On ne saurait trop décrire l'indigence des habitants du Bas-Canada à cette époque. Dans le domaine agricole on connaît une crise sans précédent. Le paysan ne se relève pas des années de misère de la Rébellion. Les terres sont de plus en plus épuisées par une culture primaire; la productivité du sol tombe au plus bas, si bien que l'on a connu et l'on connaît encore des années de famine, et par conséquent d'épidémies, sur les terres seigneuriales. Les maladies du blé se multiplient et sont occasionnées aussi par l'appauvrissement des sols. Au Bas-Canada, la moyenne des

---

1. Ryerson, **Unequal Union**, p. 36-7.
2. Hamelin et Roby, op. cit.

minots de blé par producteur passe de 64 en 1831 à 12 en 1844.[1] Pour ajouter au désarroi du paysan, les prix agricoles connaissent une baisse prodigieuse jusqu'à l'abolition totale des tarifs préférentiels des Corn Laws en 1846.

Le règlement de l'Union n'a pas modifié les pratiques spéculatives des seigneurs sur les terres. Le paysan ne peut acquérir de nouvelles terres; il est même endetté auprès des marchands ruraux et des seigneurs. Il n'a de recours que de diviser sa terre en parcelles pour ses fils. On rapporte que la ferme moyenne au Québec en 1851 est de 84 acres, mais 36.2% des propriétaires ne possèdent pas 50 acres. Et la population rurale continue de s'entasser, à un rythme étonnant, sur les basses terres du St-Laurent. Les campagnes sont isolées des villes à cause de l'état quasi impraticable des routes.

Le paysan ne produit que pour les besoins vitaux de sa famille. C'est ainsi qu'en 1844, la pomme de terre constitue 46% de la récolte contre 4.4% pour le blé. L'introduction d'un "certain élevage" est déterminée par ces nouvelles conditions: l'avoine, principal aliment des bestiaux, accapare 33.9% des récoltes. Là encore ne croyons pas à une nouvelle vocation agricole au Bas-Canada: les animaux sont sous-alimentés dans les campagnes; les chroniqueurs agricoles se plaignent de leurs pauvres rendements. Ils ne suffisent pas à nourrir convenablement leurs propriétaires! C'est donc la misère la plus totale qui sévit sur les terres seigneuriales. La seule solution qui s'offre est l'émigration. Le clergé conscient de l'acuité du problème agricole, mais surtout du fait que le dépeuplement du Bas-Canada entraîne la chute de ses pouvoirs politiques et économiques, lance un grand mouvement de *colonisation* vers 1848. Pour juger de l'ampleur de l'émigration au Bas-Canada, on estime qu'il se chiffre entre 500,000 et 700,000, de 1850 à 1900 [2].

Le clergé tient à maintenir sa domination idéologique sur le secteur agricole (sa zone d'influence). Il prend en charge la direction des activités économiques du peuple en l'encourageant à ouvrir de nouvelles terres, précisément celles qui sont délaissées par les Anglais, parce que non-productives, ou trop éloignées des marchés urbains. En plus, certaines pratiques de spéculation sur les terres de la couronne rendent celles-ci pratiquement inabordables aux colons. Le mouvement de la colonisation est une solution à court terme qui ne cessera de poser des problèmes encore non-résolus: celui de l'agriculture en "zones marginales", éloignées des marchés urbains et des voies de communication. Cette remarque s'applique surtout aux autres vagues d'immigration qui sont lancées à la fin du 19ième siècle, mais elle est juste également en ce qui concerne ici le Lac St-Jean. Les poussées d'émigration, tout au long du 19ième siècle, seront toujours dépendantes de la conjoncture économique.

---

1. Ouellet, op. cit. p. 449.
2. Hamelin et Roby, op. cit. p. 29.

Face aux pressions répétées des marchands et des industriels (c'est-à-dire face aux exigences du développement capitaliste), le gouvernement décrète enfin en 1854 l'abolition du régime seigneurial, survivance d'un mode de production féodal. Les capitalistes, et particulièrement les promoteurs du chemin de fer, ont objectivement beaucoup d'intérêt à exiger l'abolition du système seigneurial parce que celui-ci aliène une partie des terres et rend les expropriations fort coûteuses aux cies (ex.: Grand Tronc). De plus, le développement capitaliste requiert une main d'oeuvre "libérée" de ces contraintes quasi-féodales. Cependant il ne faut pas croire à un renversement brutal, une coupure radicale avec le passé. Le régime a subit toutes sortes de modifications au cours du 19ième siècle. Dans l'ensemble, le changement est à peine perceptible pour le paysan qui demeure dominé par une élite cléricale conservatrice. Cette mesure d'abolition ne met nullement en péril la coalition politique entre les fractions de la classe dominante: clergé/seigneurs et bourgeoisie capitaliste. D'ailleurs les anciens notables français ont considérablement perdu leur prépondérance politique ("balance du pouvoir") depuis l'Union des deux Canadas. Le gouvernement s'assure quand même leur appui par toute une série de compensations économiques. L'abolition n'en est pas réellement une. L'Acte de 1854 reconnaît le droit absolu à la propriété de la terre aux seigneurs! La perte des privilèges tels corvée, banalité, etc... est allégée d'une compensation de plus de 10 millions de dollars! Et les propriétés de l'Église qui constituent plus du 1/4 des terres, sont exemptes de la loi! Les censitaires ont le choix entre soit payer une rente de 6% sur le capital, c'est-à-dire devenir débiteur à perpétuité, soit racheter la terre au seigneur. Comme très peu de colons possèdent le capital nécessaire à l'achat de la terre, la grande majorité continue de payer la rente. Si bien qu'en 1940 (lois de l'annulation de la loi) 60,000 fermiers québécois (44% du total) versent versent encore une rente à quelque 242 seigneurs!. On est loin des revendications des Patriotes de 1837: "abolition sans compensation de tous les droits et privilèges seigneuriaux"! En réalité, la situation des colons demeure sensiblement la même.

Haut-Canada

Dès la période 1842-50, l'écart est très marqué entre la prospérité économique du Haut-Canada (touchée cependant par la baisse des tarifs préférentiels) et le marasme qui sévit au Bas-Canada.

Il nous semble important de faire le point sur les causes réelles qui ont entraîné ce développement inégal entre les deux provinces. D'abord nous nous opposons à cette théorie erronée qui attribue à l'Ontario un rôle industriel quasi "naturel", découlant de la proximité du marché américain et de la disponibilité des sources de matières premières et d'énergie. Cette conception "géographiste" est fort répandue chez les auteurs traditionnels (anglophones et francophones): elle masque les rapports politiques déterminants qui sont à la base du développement inégal. De même d'autres

---

1. Ryerson, French Canada p. 118

historiens invoqueront les facteurs démographiques (disponibilité de la main d'oeuvre, etc...) pour expliquer les progrès du capitalisme en Ontario par rapport au Québec. Cette remarque est pertinente mais on ne saurait faire passer la conséquence pour la cause réelle.

On ne peut trop le répéter, c'est la situation politique au Bas-Canada, et les rapports antagonistes entre deux fractions de la classe bourgeoise au Canada ("autonomistes de Montréal" et "industriels de Toronto), qui sont responsables du retard économique cumulatif enregistré au Bas-Canada.

Rappelons brièvement le tableau politique au Bas-Canada depuis la Conquête. Forcés de concilier avec l'ancienne classe dominante française, les administrateurs impériaux instituent un régime de compromis qui bloque pratiquement l'expansion du capitalisme au Bas-Canada. Les marchands de Montréal sont mécontents des arrangements de la métropole qui contrecarrent leurs besoins de libre entreprise et leur accession au pouvoir politique. Ils ne cachent pas leur sympathie au système américain et plusieurs se rallient aux annexionnistes. Ce mouvement reprend de l'ampleur avec l'abolition progressive du système préférentiel britannique durant les années 1840 - 1850 - 1860.

Comme nous l'avons mentionné le maintien du régime seigneurial (formule de conciliation politique) a pour effet d'entraver le développement capitaliste. Par exemple, les routes, laissées à l'entretien des seigneurs, sont rapidement impraticables au Bas-Canada, rendant impossible un commerce rentable avec les États-Unis, et même avec les centres urbains rapprochés. Ces conditions matérielles (aliénation de la terre et contrôle de la main d'oeuvre par les seigneurs) retardent considérablement la transformation du capital marchand en capital industriel au Bas-Canada. Les marchands de Montréal (fourrure et bois) s'unissent assez tôt pour former une force bancaire très concentrée (Banque de Montréal 1817) mais celle-ci n'intervient activement que fort tard sur le plan industriel.

Une autre raison explique l'inégalité de développement entre l'Ontario et le Québec: Ce sont les liens particuliers de la bourgeoisie torontoise avec la métropole. À cause de leur "loyauté" à la couronne britannique (loyauté qui va dans le sens de leurs intérêts économiques), le gouvernement de la colonie favorise les capitalistes ontariens par toutes sortes de règlements politiques et de mesures économiques. Par exemple, le Québec ne bénéficie que du 1/4 des capitaux britanniques exportés au Canada entre 1827 et 1850, à comparer avec l'Ontario qui lui s'en approprie la majorité. Cette préférence fut maintenue après la Confédération.

En ce qui concerne l'agriculture au Haut-Canada, son développement est intimement lié à celui de l'industrie.

Le Haut-Canada des années 1850, est stimulé par un mode de tenure qui favorise les progrès techniques, encouragé par la prospérité du commerce du blé et la prolifération des scieries. Il connaît un développement économique remarquable, du moins jusqu'à la dépression des années 1860 (abolition du traité de Réciprocité). En 1861, par exemple, il compte 300,000 habitants de plus que le Bas-Canada. La présence d'un marché intérieur, créé par la division sociale du travail (qui est la condition de l'industrialisation capitaliste) offre un débouché local aux produits agricoles. Déjà en 1840, les paysans du Bas-Canada sont dans l'impossibilité matérielle de satisfaire la demande des centres urbains en produits agricoles: c'est le Haut-Canada qui approvisionne régulièrement les villes du Bas-Canada! La production agricole se spécialise progressivement face aux nouveaux besoins des villes et des chantiers: le blé demeure dominant, mais on pratique aussi l'élevage, la culture des fruits et légumes.

Pour satisfaire une demande accrue, on organise la production sur une base rentable, "rentable" pour les capitalistes. L'introduction de la **machinerie agricole** accélère le processus de l'articulation de l'agriculture au mode de production capitaliste, en ce sens que l'emploi de la machinerie fait déboucher une production agricole artisanale, qui fonctionne sur une base familiale et dont les agents sont propriétaires de la terre et des moyens de production, sur un **marché** qui est régi par les lois du développement capitaliste. L'agriculteur n'est plus un "producteur indépendant", mais il est intégré par son travail et par les produits manufacturés qu'il utilise, au marché capitaliste.

À partir de 1840, les vieilles charrues des Loyalistes sont remplacées par des charrues métalliques; en 1843 l'emploi des trayeuses est généralisé et on note même l'apparition des moissonneuses Hussey et McCormick. Ainsi, l'abolition des privilèges coloniaux force le marché à s'orienter vers le Sud. En 1850, le volume des expéditions de blé du Haut-Canada vers les U.S.A. est 15 fois plus élevé que celui dirigé vers le St-Laurent (on laisse à juger de l'inefficacité de la voie maritime!). Les échanges techniques avec les américains s'intensifient avec le traité de Réciprocité: on importe de la machinerie, les techniques de fabrication du fromage, etc... La machine à vapeur révolutionne les techniques. En 1852 au Canada, Massey produit ses premières faucheuses, moissonneuses, ainsi que les premières machines combinées: moissonneuses-batteuses, etc...

Il est important de réaliser que la spécialisation de la production en fonction du marché est un mécanisme de la **régionalisation**. Les conditions "naturelles" telles la fertilité du sol, etc... ne sont pas des données immuables, nous pouvons le démontrer avec les résultats de l'utilisation différenciée des techniques de production au Bas-Canada, entre, par exemple, terres seigneuriales et Cantons de l'Est. Ces conditions ne sont pas "déterminantes", historiquement, du processus de régionalisation: l'est de façon fondamentale, la stratégie d'implantation industrielle (et ses conséquences: concentration industrielle, éloignement ou proximité des marchés, des voies de transports...), elle-même le produit d'une conjoncture économique et politique mondiale. Le développement capitaliste concentré l'activité industrielle et conditionne l'environnement: ce sont toujours les régions situées près des villes et des grands cours d'eau qui profitent le plus du marché, laissant dans l'isolement et le "sous-développement" les régions périphériques.

En 1851, la population du Bas-Canada se concentre principalement sur les basses terres du St-Laurent, touchées par l'épuisement des sols. Les Cantons de l'Est, à majorité anglophones et liés au marché américain, produisent surtout de l'avoine. La région de Hull-Gatineau (ainsi que le Nord de l'Ontario) est directement impliquée par le commerce du bois, et la production agricole dessert les besoins des chantiers (foin, avoine, féculents, porc,...). Dans toutes les régions où l'industrie forestière est d'abord implantée, Outaouais, Saguenay, Bas-du-Fleuve, Gaspésie, l'agriculteur doit pratiquer un métier auxiliaire (pêcheur, bûcheron...) pour "joindre les deux bouts". La population agricole est toujours un réservoir utile de main d'oeuvre à bon marché pour les compagnies de bois et les conserveries de poisson.

La concurrence du commerce européen du blé, l'abrogation du Traité de Réciprocité amènent le développement progressif de l'industrie laitière, tant au Haut-Canada qu'au Bas-Canada. La colonisation de l'Ouest et l'ouverture au commerce de sa production de blé devient une nécessité pour la rentabilisation des chemins de fer canadiens, et déprécie par le fait même le blé ontarien. Il existe par ailleurs une demande régulière de produits laitiers sur le marché américain. Le développement de l'industrie laitière (seule issue commerciale des colons du Bas-Canada) s'est déjà amorcé pendant la guerre de Sécession. La croissance urbaine, tant canadienne qu'américaine, augmente la demande de produits laitiers et favorise ce nouveau type de production. La spécialisation dans le lait, et les progrès de la mécanisation vont libérer un flot de main d'oeuvre agricole superflue qui migrera bientôt vers les centres industriels: un phénomène que nous chercherons à approfondir.

b) *Le commerce du bois*

Quelques mots pour reconnaître où en est le commerce du bois pendant cette période de tumulte et de réorganisation économique. D'abord, l'apparition de la machine à vapeur entraîne le déclin des chantiers navals entre 1850 et 1860, déclin également dû à la disparition complète de la préférence tarifaire accordée par l'Angleterre au bois des colonies. Cependant, la demande américaine de bois de planche s'accroît constamment à cause de la construction massive des chemins de fer, du développement prodigieux des villes de l'Est, et des besoins encourrus par la Guerre de Sécession. Très tôt, les américains découvrent les richesses du Canada et commencent à exploiter les forêts sur une base industrielle; les scieries migrent de plus en plus vers Ottawa et le Nord de l'Ontario. Le commerce avec l'Angleterre continue lui aussi d'être florissant. Le bois constitue alors la matière d'exportation dominante au Canada.

L'utilisation du fer et de l'acier, vers les années 1873, marque la fin de la prospérité du commerce du bois de planche, jusqu'à ce que la demande américaine en papier relance l'exploitation du bois vers la fin du siècle.

c) *Les débuts de l'industrie capitaliste*

Les énormes investissements (pour l'époque) que l'on place dans la construction de chemins de fer, ne sont pas un stimulant direct à la croissance et au développement de l'industrie au Canada. Les intérêts de la bourgeoisie commerçante canadienne visent alors à accélérer le commerce d'exportation (bois, blé), à ouvrir de nouveaux territoires à la colonisation et à faciliter l'extraction des ressources naturelles; un effet secondaire est d'étendre le marché interne pour l'agriculture et l'industrie et d'amener la création d'usines, d'équipement et de machinerie pour les chemins de fer. En réalité, un des facteurs de la crise économique et financière de 1860 est créé par la disproportion qui existe entre un faible développement industriel, incapable de soutenir les coûts de cette construction, et l'expansion "nécessaire" des chemins de fer (nécessaire sur le plan politique, pour la formation de la Confédération des provinces; et sur le plan économique, pour servir les puissants intérêts financiers qui s'y trouvent placés). La construction du chemin de fer a suscité l'apparition au Canada des conditions élémentaires du développement industriel, a favorisé la maturation du capitalisme au Canada et la formation d'une classe bourgeoise industrielle. De fait, c'est le chemin de fer qui a permis au capital marchand concentré à Montréal, qui avait donné naissance à la Banque de Montréal, de se transformer en capital financier (qui n'investira pas après dans l'industrie). En effet, les capitalistes de Montréal, dont le rôle de pourvoyeur en céréales pour l'Angleterre avait été ruiné par la politique, libre-échangiste de la métropole, politique qui avait entraîné le détournement du commerce des céréales américaines vers Portland ont été obligé de se concentrer sur la constitution d'un marché intense canadien et sur la création d'industries locales.

Est caractéristique de cette époque, la mise sur pied du capital bancaire canadien: banques, cies d'assurances, etc... Le développement de la production capitaliste enfante une puissance tout à fait nouvelle: **le crédit**. Cet immense mécanisme social est destiné à favoriser la concentration des capitaux. Ces institutions financières jouent un rôle-clef dans le développement capitaliste: elles servent à canaliser l'épargne et à l'utiliser au profit des entreprises privées; leurs connections internationales permettent les transferts et emprunts de capitaux qui alimentent l'industrie. La disponibilité de capital est une condition initiale du développement capitaliste. On peut distinguer trois étapes dans l'évolution du système bancaire au Canada au 19ième siècle [1]. Jusqu'en 1840, on connaît uniquement des banques qui sont dites "impériales", c'est-à-dire que le sort de ces banques est lié aux crises financières en Grande-Bretagne. En 1817, c'est la fondation de la Banque de Montréal; en 1821, celle de la Banque du Haut-Canada, la plus prospère. En 1850, le gouvernement d'Union passe une loi pour susciter la création de petites banques locales pour répondre aux besoins de crédit. Le boom des chemins de fer, entraîne une période de prospérité économique. Douze banques sont créés entre 1855 et 1857. Cependant, avec la Confédération, la nécessité se fait sentir d'une organisation plus centralisée, à caractère national. En 1880, le Bank Act abolit l'acte de 1850, et le gouvernement devient responsable de la sécurité financière; cela correspond au nouveau rôle de l'état défini par la Politique Nationale de 1878. La tendance

---

1. Easterbrook, op. cit. p. 449.

42

sera alors dans le sens d'une centralisation progressive des mécanismes bancaires. La concentration massive et rapide du capital bancaire est un des traits caractéristiques du capitalisme canadien.

Cette évolution suit de près celle de l'industrie canadienne: un indice du taux de croissance industriel nous est donné par le nombre de machines à vapeur entre 1851 et 1861: il passe de 158 à 325! [1] S. Ryerson distingue trois secteurs principaux qui sont à la base du développement industriel au Canada. **Premièrement,** le commerce du bois entraîne la construction de scieries, de bateaux, etc,... et celui du blé (en moindre partie) la construction de moulins, d'élévateurs à grain... **Deuxièmement,** le secteur de la fabrication de biens de consommation donne naissance à une bourgeoisie canadienne-française; il se caractérise par des manufactures de faible envergure. En 1867, il existe au Bas-Canada 110 entreprises en chaussures, qui emploient 8,500 ouvriers; 191 manufactures de vêtement utilisent 3,000 employés. Jusqu'en 1850, le textile s'attribue 40% de la production industrielle au Bas-Canada [2]. Le **troisième secteur** concerne l'établissement de la grande industrie. Les raffineries de sucre Redpath s'installent en 1855; Mc Donald Tobacco en 1858. On commence à exploiter les métaux ferreux et non-ferreux; les forges Radnor à Trois-Rivières en 1857 emploient de 200 à 400 personnes. L'industrie de la machinerie agricole est à ses débuts. Enfin, le développement de l'industrie voit l'émergence d'une nouvelle classe dominante canadienne prête à défendre ses intérêts, de même que la naissance d'un prolétariat urbain.

De 1840 à 1857, il arrive à peu près 35,000 immigrants irlandais et anglais par année au Canada, main d'oeuvre abondante et à bon marché pour l'industrie. Les syndicats sont hors la loi, les conditions de travail indescriptibles, la répression des patrons, sauvage. Dès 1834, on pend et emprisonne les organisateurs ouvriers. Les années 1860 voient la mise sur pied d'associations secrètes de travailleurs: des grèves dures éclatent chez les ouvriers de la chaussure (1869) et chez les travailleurs de la construction du canal Lachine. Les revendications des ouvriers pour des conditions de vie et de travail humaines sont considérées comme des "conspirations criminelles" contre le Bon Ordre, c'est-à-dire l'ordre du régime capitaliste maintenant dominant.

Il est important de souligner encore le **développement inégal dans l'industrie** entre par exemple Bas-Canada et Haut-Canada. Dès 1850, l'écart est très marqué entre les deux provinces. Des statistiques nous permettent de démontrer clairement le développement inégal, même si les chiffres ne tiennent pas compte d'un avancement technologique différent qui mène bien sûr à une productivité différente. Le meilleur indice de ce phénomène nous est donné par l'emploi de la machine à vapeur comme dispensateur d'énergie. Ce genre de mécanisation nécessite la concentra-

1. Ryerson, Unequal Union p. 39.
2. Ouellet, op. cit. p. 239.

tion des entreprises et un niveau de productivité supérieur. Le tableau suivant [1] (tableau no 1) met en relief l'évolution différente des moulins, scieries et fonderies au Canada en 1851:

TABLEAU I

*Évolution des moulins, scieries et fonderies
au Bas et Haut-Canada, 1851*

	MOULINS		SCIERIES		FONDERIES	
	Haut-C.	Bas-C.	Haut-C.	Bas-C.	Haut-C.	Bas-C.
Nombre d'entreprises	612	541	1,567	1,065	94	38
machines à vapeur	37	8	154	4		
nombre d'employés	1,150	807	3,607	3,634	925	197

Pour ce qui est des moulins, notons que la législation impériale de 1842 favorise la conversion du blé américain en farine dans les moulins du Haut-Canada, donnant une nouvelle impulsion à cette industrie [2].

En 1851, l'agriculture et les activités dites primaires comme le travail en forêt, la pêche, les mines, occupent plus de 80% de la population du Canada. Au Bas-Canada, Hamelin et Roby[3] dénombrent 78,437 agriculteurs, 63,365 ouvriers agricoles (pour la plupart fils de cultivateurs), 1,242 pêcheurs, 974 bûcherons. Le rapport entre développement industriel et développement agricole se révèle différent selon les régions: dans le Haut-Canada le pourcentage de la population dans l'industrie est de 18.2% contre 75.1% pour l'agriculture (à plein temps); dans le Bas-Canada, il est de 12% contre 78.6% pour l'agriculture. Ce résultat n'est pas le produit du hasard, mais d'un retard cumulatif qui ne s'explique en dernier ressort que par l'**analyse politique des rapports de domination et d'exploitation ontre nations et entre classes sociales.**

3) *Les réformistes et l'Assemblée*

La contradiction politique principale se situe, à l'époque, entre le contrôle et l'hégémonie de la métropole d'une part, (favorisant le libre-échange) et la volonté d'autonomie de la colonie d'autre part. La bourgeoisie in-

---

1. Ryerson, Unequal Union p. 175.
2. Ouellet, op. cit. p. 518.
3. Hamelin et Roby, op. cit. p. 6.

dustrielle canadienne (en montée) réclame un contrôle politique du marché et des ressources locales. Les projets en cours de la canalisation du St-Laurent, de la construction des chemins de fer, de l'extension du réseau routier, exigent une reconsidération du rôle économique et politique de l'État.

Les réformistes c'est-à-dire les tenants de l'indépendance nationale et du protectionnisme ne sont pas encore en position de force dans l'Assemblée, car le gouvernement de l'Union (1840) n'a pas résolu les antagonismes nationaux entre Bas et Haut Canada. Le Traité de Réciprocité et les accords passés entre l'Angleterre et les États-Unis s'opposent à la réalisation des intérêts des industriels canadiens. Pour affronter cette situation il se forme une espèce de coalition politique (de composition très hétérogène) des intérêts industriels anglais et français, en excluant les réactionnaires cléricaux et les seigneurs. Les capitalistes canadiens se sont ralliés des sympathies françaises en jouant la thèse des deux nations, en assurant la défense des droits et de l'intégrité culturelle française dans un nouveau régime constitutionnel. En 1847, les réformistes gagnent 2/3 des postes à l'Assemblée de l'Union, et bientôt l'exécutif (marchands et administrateurs coloniaux) ne peut plus contenir l'Assemblée élue. Les réformes envisagées sont les suivantes:

1) un gouvernement responsable;
2) la modernisation des structures financières et administratives, de manière à mieux favoriser l'investissement capitaliste;
3) et en troisième lieu, comme appât au Canada français: défense des droits des Canadiens-français.

Conséquemment, les industriels de Toronto commencent à réclamer des tarifs protectionnistes pour les produits manufacturés: les intérêts économiques industriels l'emportent graduellement sur ceux de l'agriculture que favorise alors le libre-échange (commerce du blé avec U.S.A.). À partir de 1856-1862, les droits de douanes montent progressivement jusqu'à conduire à l'abrogation de la réciprocité en 1866. Avec le rapport de Galt de 1859, la colonie commence à revendiquer son autonomie fiscale (imposition sur les revenus), à la suite des problèmes économiques qu'on connaît. Le terrain se prépare peu à peu à la vaste transaction financière que fut la Confédération des provinces canadiennes.

B - CONSTITUTION DE L'ÉTAT ET DU MARCHÉ INTERNE: 1867-1896

1) La Confédération

a) Conjoncture canadienne

"Nation-building was a huge transaction in real estate and railway company shares, an investor's challenge". [1] Résumons l'évolution de la conjoncture économique et politique au Canada. Nous avons vu que depuis

---

1. Ryerson, Unequal Union p. 422.

quelques décades, la classe bourgeoise au pouvoir en Angleterre favorise le libre-échange international pour écouler massivement ses produits manufacturés sur les marchés plus faibles de ses colonies et des autres pays capitalistes. Elle cherche ainsi à concurrencer, à saper l'industrie naissante dans ces pays.

Au Canada, la politique de libre-échange instaurée par la métropole (traité de Réciprocité avec les États-Unis) contrecarre absolument les intérêts des industriels canadiens qui voient leur marché envahi par les produits anglais mais aussi américains. En effet, la guerre de Sécession américaine va consacrer la puissance économique et politique du Nord industriel qui déjà livre une lutte acharnée contre les produits anglais. Ce concurrent de taille menace même de ruiner l'influence britannique au Canada; il s'est déjà allié les sympathies de certains marchands de Montréal, et ses produits manufacturés s'introduisent de plus en plus sur le marché canadien.

L'Angleterre, donc, va encourager l'indépendance du Canada: elle considère que les colonies sont un poids et une charge financière pour la métropole (ex. dettes de la construction du chemin de fer), de plus, ce sera pour elle un excellent moyen de préserver des tarifs d'échanges préférentiels avec le Canada et de mettre un frein aux ambitions américaines (et aux annexionnistes) en consolidant le protectionnisme canadien.

Les industriels canadiens, eux, ont évidemment intérêt à réclamer des tarifs protectionnistes (abrogation du traité de réciprocité en 1866) et à bloquer l'expansion du géant américain, principale menace à l'autonomie du territoire. Ils trouveront bientôt des alliés chez les banquiers et les marchands. En effet, la situation de ces derniers s'est passablement transformée.

Les capitalistes marchands se spécialisaient dans des activités d'export-import (surtout le blé, les céréales mais aussi le bois). Ces pratiques fructueuses avaient permis une première accumulation capitaliste et la formation des banques. Tournés vers le libre-échange et instigateurs de la construction du chemin de fer, leurs ambitions sont freinées par la trop forte concurrence du commerce américain du blé et la montée progressive des tarifs protectionnistes américains, mais aussi par la politique de libre-échange anglaise.

Avec la construction du chemin de fer, les banques canadiennes prennent un grand essor (1855-57). À cause de la conjoncture internationale et de l'ouverture de l'ouest canadien, elles vont de plus en plus lier leurs intérêts à ceux des industriels canadiens; capital bancaire et capital industriel collaborent pour bientôt ne plus former qu'un (le capital financier). Ils vont s'allier pour consolider le marché interne canadien et fonder l'état canadien.

L'état canadien devient l'instrument politique de domination de la classe bourgeoise canadienne sur le prolétariat canadien. Il a aussi un rôle économique important: les pouvoirs qui lui sont conférés constituent une force concentrée et organisée de la société capitaliste qui va nécessairement précipiter le passage du capitalisme marchand à la formation des monopoles.

b) Position de l'Angleterre

Nous avons vu que durant cette période de libre-concurrence en Angleterre, les dirigeants politiques favorisent l'émancipation des colonies. Ce contexte politique et économiques permit l'accession facile du Canada à son indépendance. La Confédération fut même encouragée par l'Angleterre. En effet, la rivalité économique croissante de l'Angleterre avec le nord-industriel des États-Unis amène Londres à favoriser la Confédération: cette mesure met une barrière finale aux visées annexionnistes qui recueillaient de plus en plus de suffrages chez une bonne partie des industriels canadiens (surtout ceux de Montréal). Le Canada demeure toujours pour Londres un réservoir privilégié de matières premières (bois) et de produits agricoles (blé et bientôt produits laitiers). Il lui importe de conserver la "fidélité" de la colonie; le gouvernement d'Ottawa est "responsable" devant Londres et fait serment d'allégeance envers la couronne britannique.

c) Essor du capitalisme aux États-Unis

Aux États-Unis, les années 1820-60 virent s'exacerber de plus en plus les contradictions économiques et politiques entre les états du Sud dont l'économie est basée sur l'exportation des produits agricoles et l'utilisation de la main d'oeuvre servile (esclavage) et qui dépendent des crédits et de l'activité commerciale et maritime du Nord et de la Grande-Bretagne, et les états du Nord où l'industrie et le commerce se développent à pas de géant.

Les conflits se polarisent surtout autour de la question des tarifs douaniers (le Sud luttant pour le libre-échange et le Nord pour le protectionnisme) et de celle de l'esclavage, le Nord industriel considérant que la main d'oeuvre libre est d'un rendement plus élevé que le travail servile et que la présence d'une grande masse d'esclaves nuit au "progrès" du pays. Vers 1850-55, le parti républicain naît dans le Nord et prend la défense des intérêts industriels en faisant campagne entre autres pour l'augmentation des droits d'entrée des marchandises.

Les conséquences de la victoire du Nord sur le Sud (1865) ne se firent pas tarder. Dès 1861, le gouvernement fédéral a recours à une élévation des droits de douane pour protéger l'industrie naissante de la concurrence britannique. Les augmentations ont indubitablement favorisé l'industrie américaine, aidée également par le développement prodigieux du marché intérieur (conquête de l'Ouest, construction des chemins de fer) et par les achats de l'armée. Pendant toute la durée de la guerre, et même grâce à la guerre, l'industrie de l'Est avait fait des progrès gigantesques.

D'autre part, la guerre civile américaine a entraîné aux États-Unis une énorme dette nationale, l'exaction fiscale, la naissance de l'oligarchie financière, l'inféodation d'une grande partie des terres publiques à des sociétés de spéculateurs, exploitant les chemins de fer, les mines, etc..., en un mot une **centralisation extrêmement rapide du capital**. Le recours au système protectionniste fut au 19ième siècle un moyen d'abréger de vive force la transition d'une économie marchande à une économie capitaliste industrielle: il favorise la constitution de monopole de vente à l'intérieur, l'expropriation des travailleurs indépendants, la conversion en capital des instruments et conditions matérielles du travail. La politique de libre entreprise, la course aux profits des capitalistes engendrent un taux de croissance prodigieux: c'est l'époque de la constitution des grands empires industriels et financiers: Ford, G.M., Standard Oil, etc... Sur tous les plans, à tous les niveaux (conquête de l'Ouest, c'est-à-dire massacre des Indiens et confiscation de leurs territoires, peuplement, chemins de fer, urbanisation...) le développement industriel américain des années 1870-80-90 donne à l'expansion canadienne une allure de "sous-développement". Entre 1859 et 1910, le revenu national passe de 4 milliards à 25 1/2 milliards. La production moyenne des entreprises se multiplie par douze, la moyenne de leurs investissements par seize. Le secteur le plus important, celui qui accuse la progression la plus rapide, est celui des chemins de fer, dont le développement devient indispensable à l'essor général du capitalisme.

Les américains se montrent plutôt favorables à la politique protectionniste canadienne. L'abolition du traité de Réciprocité a encouragé la migration des industries américaines au Canada, surtout à cause des accords de marché Canada-Royaume-Uni. La politique protectionniste, contrairement aux intentions de certains industriels canadiens, favorise la venue massive de capitaux et de techniques pour l'industrie: les conditions du marché protégé suscitent les investissements directs américains dans tous les secteurs de l'économie canadienne. Les États-Unis, fidèles à la doctrine Monröe, continuent à étendre leur hégémonie économique et politique sur une portion toujours plus grande du globe: leur intervention se fait autant sur le plan militaire (guerre du Mexique et intrigues constantes en Amérique Latine...) que sur le plan de l'infiltration économique.

2) *Crise monétaire européenne et Politique nationale*

Autour des années 1867, la situation monétaire américaine et la fermeture du marché américain a des effets négatifs sur l'économie canadienne et surtout québécoise, qui fournit en produits alimentaires la Nouvelle-Angleterre. Les prix agricoles baissent de 50% et diminuent le pouvoir d'achat de la population agricole. L'Angleterre juge également bon de restreindre ses importations pour remédier à sa situation intérieure: la disette de coton de 1866, provoquée par la guerre civile américaine, amène en Angleterre, outre un taux de chômage catastrophique, la faillite d'une multitude de sociétés financières. La crise surmontée, les années 1867-73 témoignent d'une prospérité mondiale, celle du Canada étant totalement liée aux prix du marché à Londres. Jusqu'en 1873, les prix du blé, de la farine, du bois de pin sont à la hausse. Les exportations du Canada vers la Grande-Bretagne doublent: celles qui se dirigent vers les États-Unis augmentent de 30%.

En 1874, les effets de la surproduction industrielle se font sentir: crise du marché international des capitaux, qui se transmet par la faillite du système bancaire autrichien. Ce phénomène des crises économiques cycliques (à peu près tous les 10 ans) date seulement de l'époque où l'industrie mécanique exerce une influence prépondérante sur toute la production nationale: l'expansion de la production se fait par des mouvements saccadés et est la cause première de sa contraction subite (Marx, 1969b, VI, p. 263sq).

Les marchés européens se ferment de façon à se protéger des répercussions de la crise. La concurrence mondiale fait baisser les prix. Cette baisse se réfléchit dans une hausse de la "valeur relative" de l'argent. L'Angleterre et les États-Unis se livrent au "dumping" de leurs produits manufacturés sur le marché canadien non-protégé par des barrières tarifaires. Les prix en général tombent de 20%; celui de la farine subit une baisse de 60%, ce qui donne le coup de grâce final à l'agriculture traditionnelle fondée sur le blé au Québec. Seul le marché du beurre et du fromage tient bon en raison de la demande anglaise. Les exportations de bois diminuent de moitié; c'est la catastrophe pour l'industrie canadienne, et encore plus pour les paysans. Le Canada est durement atteint à cause de sa relation de dépendance commerciale face à l'Angleterre.

La baisse du prix des produits manufacturés anglais a pour effet une concurrence accrue pour l'industrie naissante au Canada; après le broch de 1873 et la dépression qui lui succède, on assiste au développement rapide d'une nouvelle phase du capitalisme: de phénomènes passagers qu'ils étaient, les cartels deviennent une des bases de toute la vie économique. Ils conquièrent un domaine après l'autre, mais avant tout, celui de la transformation des matières premières. L'Angleterre rétablit bientôt un commerce mondial florissant, alors que les États-Unis l'emportent de plus en plus sur le plan de la production industrielle. Face à la concurrence internationale et à la montée des monopoles, les industriels canadiens revendiquent la montée des tarifs protectionnistes sur la majorité des produits manufacturés importés. En 1879, le gouvernement passe la loi dite de **"Politique Nationale"**. Les tarifs douaniers sur les produits manufacturés connaissent une hausse graduelle de 17 1/2 à 30%. La Politique Nationale marque justement le passage, pour l'économie canadienne, d'une époque à dominante commerciale, à une époque de croissance industrielle. Pour contrecarrer les effets "négatifs" de cette loi, le gouvernement instaure un système de prime à la production métallurgique et sidérurgique, invitant par le fait même les investisseurs étrangers à contribuer à "développer" le pays.

On ne peut passer sous silence le rapport existant entre la construction des chemins de fer et la Politique Nationale: la loi protectionniste a pour fonction de rentabiliser le capital, de développer le Canada comme marché interne, c'est-à-dire d'accélérer le passage au mode de production capitaliste. On veut s'assurer deux conditions pour assainir les finances publiques (naissance de la fiscalité moderne): les revenus de l'état doivent être suffisants pour payer les déficits accumulés (taxes sur les revenus): le commerce intérieur doit être accru de façon à réduire ces déficits (taxe de vente). Malgré ces mesures déflationnistes la reprise économique est difficile et lente. La tendance à une protection maximale se continue jusqu'en 1887. À partir de 1883, on discerne un autre courant: les importations en provenance des États-Unis dépassent celles de la Grande-Bretagne!

La dépression économique de 1883-86 (crise monétaire de moindre envergure) se traduit par une autre baisse des prix, un ralentissement du commerce extérieur. Suite aux mauvaises récoltes (blé) des années 1888-89, le commerce extérieur est en perte de terrain. Un facteur nouveau va influencer le mouvement à venir de l'économie canadienne: vers les années 1891-96, les investissements directs américains au Canada prennent une réelle envergure. (voir p. 50). À partir de 1896, la reprise économique canadienne s'inaugure par l'ouverture des marchés, suite à la pression étrangère. Les exportations de produits agricoles (beurre, fromage, foin) sont à la hausse. Le nouveau besoin en produits agricoles, surtout en blé (on l'explique par la hausse du niveau de vie de l'ouvrier anglais) va encourager et promouvoir le développement de l'Ouest canadien pendant le premier quart du 20ième siècle.

3) Les grands changements économiques 1867-1896
Nous ouvrons ici une période charnière dans l'histoire économique et politique du Canada: elle correspond vraiment au passage d'une économie à base commerciale à une économie de type industriel. Au moins quatre symptômes nous donnent un aperçu des transformations opérées dans le domaine économique et politique

1- Domination du mode de production capitaliste
Avec la Confédération et la Politique Nationale, on note un renversement des déterminants économiques au Canada: les besoins de l'industrie naissante dictent désormais le développement du secteur agricole. En d'autres mots, la **domination du mode de production capitaliste** impose des conditions au mode de production antérieur, celui fondé sur la propriété individuelle des moyens de production. Nous verrons que le caractère de dominance du mode de production capitaliste dans la formation sociale canadienne va aussi modifier les rapports internes de production de l'agriculture: par exemple, l'introduction de la machinerie par la grande industrie consomme la séparation du producteur agricole d'avec l'industrie domestique des campagnes (artisanat, auto-suffisance...), et fonde l'exploitation de la force de travail agricole, sa dépendance face au système capitaliste.

2- Libération "de la force de travail agricole
Autre conséquence de l'articulation de l'agriculture à l'industrie: la nouvelle productivité du travail agricole due à l'amélioration des techniques et à l'introduction des machines, et l'élimination progressive des petits producteurs par les plus gros, provoquent une libération de main d'oeuvre (expropriation des petits producteurs) qui sert tout à fait les exigences de l'industrie. **L'exode rural** achemine une masse de "travailleurs libérés" vers les centres industriels où ils constituent l'armée de réserve de l'entreprise privée. En 1871, nous ne sommes encore qu'aux prémisses de ce mouvement, alors que les 4/5 de la population est encore rurale. Néanmoins, de 1851 à 1871, le travail industriel est passé de 16 à 21% du total des activités économiques. La population se répartit maintenant comme suit: l'agriculture, les forêts, les pêcheries rassemblent 51% de la population; les manufactures et l'artisanat 13%, la construction et le travail non-spécialisé 17%, le commerce, les transports, l'éducation et les professions libérales 18% [1]

---

1. Ryerson, Unequal Union p. 443.

3- Développement du secteur des services
Un indice différent des transformations encourrues nous est donné par le subit accroissement du secteur des services. Cet élément correspond au nouveau rôle joué par l'État dans le développement capitaliste. De 1870 à 1890, ce sont ces activités tertiaires qui connaissent la croissance la plus rapide.

4- Accroissement des investissements directs américains
Du côté industriel, le brusque accroissement des **investissements directs américains** est sans doute le facteur le plus important à retenir: de 1870 à 1887, 82 nouveaux établissements américains se créent. Depuis 1847, les États-Unis ont investi dans les télécommunications canadiennes: en 1880 ils possèdent le 1/3 des parts de la compagnie de téléphone Bell. Ils s'accaparent bientôt le secteur des appareils électriques: General Electric s'installe en 1892, Westinghouse Co. en 1896. La Standard Oil of New Jersey contrôle tout le marché de l'Est, et fonde une filiale à Sarnia, Ontario en 1860: l'Imperial Oil of Canada. L'industrie de pointe des produits chimiques est également sous domination américaine: installation de Sherwin-Williams en 1887. On s'intéresse déjà aux ressources du sous-sol canadien: en 1887 l'International Nickel Co. arrive au Québec; on a déjà découvert l'amiante des Cantons de l'Est, mais le gisement reste peu exploité jusqu'à la deuxième décennie du 20ième siècle. En somme, une fraction importante de l'industrie de pointe, celle de la production des biens de production, la plus fondamentale au développement industriel est déjà sous contrôle américain. [1]

Il est intéressant de comparer à cette étape la préférence nettement marquée des capitalistes américains pour les investissements directs, alors que l'immense majorité des capitaux britanniques se font dans le domaine des placements de portefeuille. Ceux-ci se définissent comme un prêt à échéance fixe, avec intérêt. Le placement de portefeuille comprend les achats 1) d'obligations gouvernementales 2) de titres de sociétés sous forme a) d'obligations des entreprises, b) d'actions des sociétés canadiennes cotées en bourse. Par contre l'investissement direct permet le rapatriement des profits et dividendes des entreprises financées. La croissance du profit de ces sociétés assure graduellement un auto-financement des entreprises, fort rentable pour la société-mère et une progression constante du reflux des capitaux.

---

1. Bonin, L'Investissement Étranger à long terme au Canada, p. 50-54.

TABLEAU II

Accroissement de l'endettement international net:
Canada 1868-1899

Obligations publiques presqu'exclusivement britanniques (gouvernement et chemins de fer):	$789 (millions)
Investissements directs États-Unis et obligations privées:	$191 (millions)
Investissements directs Grande-Bretagne et obligations privées:	$ 90 (millions)
Investissements des autres pays:	$ 35 (millions)

(1) (Hartland, p. 717-755, in St-Onge, 1974, p. 102).

5- Expansion de la bourgeoisie industrielle canadienne
   i)   Nous savons que, règle générale, plus la **composition
        organique du capital** (rapport du capital constant au
        capital variable c/v) dans une branche de l'industrie est
        élevée, c'est-à-dire plus grande est sa fraction du capital
        total qui est dépensé pour l'achat des machines et des
        matières premières, plus élevé sera son niveau de produc-
        tivité, et par la suite sa marge de profit. Les branches de
        l'industrie qui possèdent la plus haute composition organi-
        que du capital sont celles qui se spécialisent dans la pro-
        duction des biens de production (ex.: métallurgie): la
        marchandise produite sert elle-même au développement in-
        dustriel, et non pas à la consommation individuelle. La pro-
        duction dans cette branche de production est un stimulant
        au développement capitaliste: elle est la plus rentable et
        possède le plus de possibilités de se développer sur une
        échelle croissante. Au Canada ce type de production est
        considérablement accaparé par les américains: ce sont eux
        qui ont réuni le plus rapidement les conditions nécessaires à
        la **concentration des capitaux**, élément indispensable
        au développement d'une véritable structure industrielle
        capitaliste.
        Dès les débuts de l'industrialisation au Canada, le pays se
        situe dans une relation de dépendance face aux marchés
        extérieurs: certains accords de marché (traité de
        Réciprocité, accords coloniaux, etc...) ont amené l'invasion
        du marché canadien par les produits manufacturés britanni-
        ques et surtout américains. Le libre-échange international a

52

permis l'essor prodigieux de ces deux grandes puissances économiques en entravant le développement capitaliste des pays dominés. Cependant les progrès même du libre-échange et de la concurrence internationale entraîne le Canada dans l'engrenage du capitalisme mondial, l'investissement et l'intrusion étrangère y ayant implanté les conditions élémentaires du développement industriel (commerce international, construction des voies navigables, du chemin de fer, etc...). On assiste donc au Canada, à la montée d'une nouvelle classe bourgeoise qui revendique la formation et le contrôle de l'État, qui lutte par des mesures protectionnistes (Politique Nationale 1879) contre l'invasion du marché canadien par les produits étrangers. Cette bourgeoisie appuie son activité économique sur un capital bancaire très centralisé. Cependant l'effort de structuration d'une économie nationale est en butte aux intérêts américains: ceux-ci s'accaparent certains secteurs les plus productifs de l'économie canadienne.

ii) Nous avons noté précédemment le taux de croissance relativement lent des industries canadiennes à comparer à celui de l'industrie américaine: des conditions matérielles objectives sont à la source de ce développement inégal (guerre d'Indépendance, guerre de Sécession, rapports internationaux...). Vers 1867, au Canada, les industries existantes sont surtout axées, à part quelques chantiers navals, sur une consommation locale: l'industrie alimentaire a le premier rang; les chaussures, textiles et vêtements, brasseries et manufactures de tabac se partagent le reste de la main d'oeuvre ouvrière. Ce qu'il faut d'abord souligner c'est un **taux de croissance inégal** de la valeur brute de la production des industries, selon les provinces, de même qu'une **spécialisation** des branches de l'industrie selon les provinces.

iii) Des conditions historiques (politiques et économiques) et sociales déterminent le **développement inégal des** régions (voir p. 38-40): nous ne comparons pour le moment que le Québec et l'Ontario, quoiqu'il se produise de nombreuses divisions régionales à l'intérieur de chacune de ces provinces, mais nous manquons présentement de données pour en traiter plus abondamment. À cette époque de croissance industrielle, le **fer**, qui révolutionne la production de la machinerie industrielle, et le **charbon**, comme source d'énergie, conditionnent l'état de la production. En Ontario, tout est mis en oeuvre pour exploiter à fonds ces matières premières.
Dès le départ l'Ontario apparaît avantagé. Uniquement en 1867, les Américains investissent à peu près $15 millions

en Ontario. La majorité des placements de portefeuille britannique au Canada sert à aménager les voies de transport en Ontario (canaux, chemins de fer). L'État canadien apporte sa collaboration à la mise sur pied d'un système hydroélectrique. La rationalisation de ce service de même que sa prise en charge par l'État, assurent aux compagnies un approvisionnement en énergie électrique à très bas coût.

Une main d'oeuvre abondante dans les villes (à cause des progrès capitalistes dans l'agriculture), relativement peu coûteuse, des conditions favorables "d'entente" avec Ottawa, un climat politique stable, tous ces éléments font de l'Ontario un terrain privilégié d'implantation industrielle.

Le Québec, lui, garde encore son aspect d'économie coloniale. L'exportation du bois de planche constitue le principal élément de son économie. Après la faillite du bois équarri, l'industrie des pâtes et papiers démarre tranquillement entre 1870 et 1900, essentiellement stimulée par la demande extérieure. La prospérité la plus marquante que le Québec connaît est celle des industries textiles (main d'oeuvre abondante et faible composition organique du capital) entre 1878 et 1885, 17 filatures sont mises sur pied (intérêts anglo-canadiens et américains). Cette prédilection des industries textiles pour le Québec se justifie en dernier recours par le facteur main d'oeuvre: le Québec connaît à cette époque un état de surpopulation agricole effarant, immense réserve de force de travail très peu coûteuse et ne disposant d'aucune protection syndicale. La concentration de ces entreprises s'opère rapidement entre 1880 et 1910[1]. La tendance à la concentration des entreprises se généralise alors que l'économie capitaliste sort de la période de la libre concurrence.

4) *Transformations majeures dans l'agriculture*

Résumons brièvement la conjoncture des prix du marché pour le blé et les autres produits agricoles durant cette période. De 1860 à 1866, les prix sont bons à cause de la demande américaine (guerre civile). L'abrogation du traité de Réciprocité et la crise financière anglaise de 1867 amènent une baisse de 50% des prix des produits agricoles. Peu après, l'Angleterre rétablit sa production et son commerce extérieur: 1870-1873, le Canada est favorisé dans ses exportations. Cependant, la production agricole de la "colonie" a grandement souffert des répercussions de la crise monétaire européenne de 1874; une baisse de 60% du prix de la farine entraîna la faillite du commerce du blé au Québec. Pendant ces années, seul se maintient le marché du beurre et du fromage, à cause de la demande stable de

---

1. Gosselin, un Économie Québécoise, p. 133.

l'Angleterre. Les fluctuations du marché, les mauvaises récoltes en blé de 1888-90, accompagnées d'une demande britannique et américaine accrue en produits laitiers: tous ces facteurs ont contribués à réorienter progressivement l'agriculture de l'Est vers la spécialisation dans l'industrie laitière.

La production agricole en général demeure encore très diversifiée: les grandes cultures ont disparu au profit des pois, de l'avoine et du foin (indice de la croissance des cheptels laitiers) qui occupent 54% des emblavures. La population agricole, elle ne cesse de s'accroître: elle atteint son sommet en 1871. La soi-disant abolition du régime seigneurial n'a pas vraiment amélioré la situation du paysan. À cause de ce surplus de population sur des terres qui s'épuisent, on enregistre une **émigration** de plus de 350,000 personnes hors du Québec entre 1881 et 1891 [1], surtout en direction de la Nouvelle-Angleterre et des terres de colonisation de l'Ouest. Le développement technologique en agriculture et la nouvelle spécialisation dans la production laitière, diminuent relativement l'utilisation de la force de travail agricole et contribuent à augmenter la main d'oeuvre superflue. Déjà les gros producteurs éliminent les petits. Même la multiplication des usines de textiles et de chaussures ne permet pas de résorber le surplus de population. On assiste donc à une seconde vague de colonisation ("retour à la terre"), patronnée par le clergé (par exemple, le curé Labelle pour les Laurentides). Entre 1851 et 1901, l'étendue des terres en culture passe de 3.5 millions d'acres à 7.5 millions.

Du point de vue de l'agriculture, la spécialisation dans la production du lait réalise un autre jalon de l'articulation de ce secteur à l'économie de marché. Dans les années 1890, l'industrie laitière s'adapte aux besoins du commerce: les agriculteurs sont dans l'obligation d'augmenter la valeur du capital investi de façon à obtenir de meilleurs rendements. L'obtention de nouvelles sources de **crédit** devient une nécessité et une préoccupation fondamentale. Même si le rendement du sol augmente peu (engrais), la **productivité du travail** s'accroît considérablement par suite des investissements en machinerie, du développement technologique. On augmente aussi le rendement du cheptel en introduisant de nouvelles races, en opérant des croisements, en améliorant la nourriture. Les transformations de la production agricole se traduisent pour certains par l'abandon de la terre, pour d'autres par une hausse du revenu et un endettement progressif, pour tous par l'intégration du secteur agricole dans l'économie de marché. Ces "progrès capitalistes" demeurent quand même fort timides dans le cadre de l'agriculture québécoise.

Parallèlement à cette expansion de la production laitière, **l'industrie de la transformation** prend de l'importance: le tableau suivant illustre bien cette évolution.

---

1. Gosselin, op. cit. p. 134.

TABLEAU III

Évolution de l'industrie de la transformation
des produits laitiers 1871-1901

Année	Nombre d'établissements	Nombre d'employés	Salaires $million	Valeur brute de la production
1871	25	77		$ 0.12 million
1881	162	377		$ 0.8 million
1891	728	1,220	$0.3	$ 3.0 million
1901	1,992	3,630	$0.7	$12.9 millions

(1) (Gosselin, op. cit. 1969, p. 112).

La multiplication des petites fabriques, à technologie assez sommaire, est attribuable en partie au faible développement du réseau routier; de plus la nature périssable du lait demande une transformation sur place. La qualité des produits laisse souvent à désirer. En fait, cette situation de l'industrie de la transformation correspond au faible niveau de développement des forces productives (capital, travail) dans l'agriculture. Le Canada va connaître, dans les années à venir, la concentration progressive de ces entreprises. Le premier quart du 20ième siècle représente, ce que d'aucuns appellent "l'âge d'or" de l'économie canadienne.

1950: la moisson est ici faite avec trois chevaux.
Les petits cultivateurs tentant de résister à l'introduction d'une machinerie agricole trop coûteuse. La concurrence capitaliste dans l'agriculture leur laissera fort peu de chance de survivre.

Mineurs de la Mine Morrill à Chibougamau. 1952.
Bûcherons, mineurs, ouvriers et ouvrières. La période d'après-guerre voit le développement rapide de la classe ouvrière canadienne: résultat de l'expansion impérialiste dans les secteurs principalement d'extraction des matières premières, et résultat aussi du processus capitaliste d'élimination de la petite entreprise agricole.

CHAPITRE III

LA MONTÉE DE L'IMPÉRIALISME
1896-1939

A- LES CONTRADICTIONS DE LA CROISSANCE DE L'INDUSTRIE ET DE L'AGRICULTURE: 1896-1920

1) *Le Canada: enjeu des impérialismes*
a) Le Canada: réserve agricole de l'Angleterre

Au début du 20ième siècle, la hausse du niveau de vie de l'ouvrier anglais provoque une demande considérable de produits alimentaires. La production de blé s'accroît de 300% au Canada au cours de cette première décennie: les prix ont sensiblement monté de 1896 à 1920, et le coût des transports à Liverpool baisse jusqu'en 1911. On imagine facilement la rapidité du développement des Prairies canadiennes dans cette conjoncture: de 1900 à 1910, 60% de l'indice de croissance du pays revient à l'Ouest, comparativement à 38% pour le Québec et l'Ontario, et 2% pour les Maritimes.[1] L'impulsion au développement en régime capitaliste, tout spécifiquement dans le cas d'un marché dominé, est essentiellement i-négale. La croissance économique d'un secteur ou d'un autre, d'une région plutôt qu'une autre, est soumise aux conditions du marché international, de la conjoncture des rapports mondiaux de domination. Ainsi, par exemple, les exportations de produits laitiers Canada-Grande Bretagne, qui avaient aug-mentées avec le déclin des exportations américaines, doivent bientôt affronter la concurrence d'autres colonies britanniques telles l'Australie et la Nouvelle-Zélande.

Nous reconnaissons ici une manifestation de la transformation de la politique extérieure de l'Angleterre, mais surtout une manifestation de la transformation fondamentale du MPC. Lénine démontre avec justesse com-ment les conditions de la libre concurrence et du libre-échange dans les débuts du XIXe siècle ont suscité la création progressive des cartels, des monopoles. "Le monopole est le passage du capitalisme au régime supérieur" (Lénine p. 113). C'est précisément à l'époque de la constitution et de l'essor des monopoles (dernier quart du XIXe siècle) que débute sous

1. Easterbrook, op. cit. p. 403.

un nouveau jour la vague des conquêtes coloniales, la lutte pour le partage territorial du monde. Et l'impérialisme, comme le dit Lénine, c'est le stade monopoliste du capitalisme. L'impérialisme traduit la constitution et la domination du capital financier: fusion personnelle du capital bancaire et du capital industriel. L'exportation de capitaux, à la différence de l'exportation des marchandises, prend une importance toute particulière. La politique coloniale du capitalisme monopoliste diffère foncièrement des phases antérieures du colonialisme.

L'Angleterre se dispute le rang de première puissance impérialiste du monde, mais elle n'en a pas le monopole. D'autres pays (Allemagne, U.S.A.) aspirent à ce titre. De 1880 à 1913, le commerce extérieur anglais, si essentiel à son hégémonie (à cause des faibles débouchés internes et des nécessités d'expansion du capital), double. Pour satisfaire ses appétits impérialistes, l'Angleterre s'implique politiquement un peu partout en Afrique, (selon le mot d'ordre de Cécil Rhodes: "Du Cap au Caire", guerre de Boers 1900-1903) et en Asie (guerre des Boxers). Au début du 20ième siècle, face à la rivalité industrielle croissante de l'Allemagne, l'Angleterre cherche à consolider et à structurer ses relations avec ses colonies et dominions: garantie stable de son empire économique et politique. C'est l'organisation progressive du Commonwealth britannique. Les produits des colonies sont désormais mis en compétition sur le marché.

Le capital britannique va bénéficier énormément du commerce du blé canadien. À partir de 1906 jusqu'à la première guerre, on enregistre un essor sans précédent des investissements britanniques, de l'ordre d'à peu près 2 milliards [1]. Ces investissements se font dans des sphères particulières: exploitations forestières, mines, spéculations foncières (dues à la croissance urbaine), mais surtout placements dans les chemins de fer. L'amélioration des voies de transport est nécessaire pour exploiter les matières premières à un coût concurrentiel sur le marché mondial. Le commerce du blé et l'ouverture de l'Ouest sont prétextes à une autre vague de construction de chemins de fer: de 1901 à 1914, le nombre de milles de voie ferrée a doublé dans les Prairies.

Jusqu'en 1915, les produits agricoles connaissent la hausse la plus importante sur le marché, la croissance la plus fulgurante. Les divergences d'intérêts économiques s'élargissent entre les Prairies qui dépendent du marché anglais, et l'Est industriel, à la fois contrôlé par les capitalistes américains et anglo-canadiens. Certains économistes (Easterbrook et Aitken en particulier) expliquent la concentration industrielle des provinces du centre comme étant le produit logique de la Politique Nationale, qui, en voulant unir le pays d'est en ouest, détermine le développement des industries au centre. Cette explication simpliste semble faire fi de tout le processus historique du développement pré-capitaliste et capitaliste au Canada, et provient d'une exagération du rôle de l'État. Néanmoins on relève ici encore le résultat du développement capitaliste: la production industrielle amène la concentration nécessaire des entreprises et des

1. Bonin, op. cit., p. 69.

capitaux, la prolifération et la concentration des services, l'agglomération urbaine, la disparité régionale.

De 1907 à 1911, les fermiers affrontent la politique protectionniste des industriels. Comment résoudre cette contradiction au niveau du marché intérieur: les prix des produits manufacturés sont élevés à cause de la protection, ceux des produits agricoles doivent être le plus bas possible à cause de la concurrence mondiale. Le producteur agricole subit la charge de coûts de production élevés alors que le produit est écoulé lui à bas prix. Les fermiers vont chercher à réinstaurer le traité de réciprocité avec les États-Unis pour améliorer leur situation économique, mais les industriels détiennent le pouvoir et sont opposés aux mesures de libre-échange. En fait, le travailleur agricole assume les coûts de production de plus en plus élevés (machines, etc.) d'un secteur de production très peu rentable à long terme: son revenu, la rémunération de son travail diminue relativement à celui des autres secteurs de production. **La surexploitation de la force de travail agricole en régime capitaliste: tel est le fondement du maintien de ce type de production familiale.**

Le développement phénoménal des provinces de l'Ouest n'est pas l'indice d'une véritable prospérité économique équilibrée, mais correspond à la demande anglaise du moment. Nous verrons quelles furent les suites de ce commerce.

b) Implantation industrielle américaine au Canada

Aux États-Unis, la période de 1860 à 1914 marque le triomphe inéluctable du **"Big Business"**. Entre temps, le nombre d'ouvriers aux États-Unis augmente de 700%, la production de 2,000%, le capital investi de 4,000%!!! La consolidation des trusts s'opère à vive allure: Rockefeller (Standard Oil), Garnegie (U.S. Steel Corp.), Morgan et Vnaderbilt (banques et chemins de fer). En 1913, 2% des Américains encaissent 60% du revenu national; Morgan et Rockefeller contrôlent à eux seuls 20% du capital américain! [1]. Des luttes à mort se livrent entre classe ouvrière et patronat: plus de 1,000 grèves éclatent par année, les organisations syndicales ne jouissent d'aucune reconnaissance et devront attendre jusqu'en 1935 pour obtenir une protection légale. La situation est à ce point antagonique que le gouvernement passe les lois anti-trusts en 1913. Les mesures protectionnistes sont maintenues jusqu'à la 1ère guerre.

Le développement du mode de production capitaliste mène à une politique impérialiste du point de vue des rapports mondiaux, c'est-à-dire que ce type de développement: 1) engendre un besoin accru de matières première servant à alimenter les industries productrices de biens de production et consommation, 2) nécessite l'établissement de marchés indigènes pour écouler les produits manufacturés, 3) transfert les charges en capital des secteurs de production peu rentables (exemple: l'agriculture, les textiles) sur l'économie des pays dominés, 4) tire avantage d'une surexploitation de la force de travail des pays dominés. (Voir aussi Lénine, l'Impérialisme...)

---

1. Encyclopédie Historique Stock p. 423.

Cette politique impérialiste se traduit par une intervention américaine soutenue sur le continent: les Etats-Unis appliquent la "politique du gros bâton" en Amérique centrale et aux Antilles surtout (coups d'État, appuis militaires, complots diplomatiques...): c'est à cette époque, par exemple que les intrigues américaines à Panama, valurent aux États-Unis le contrôle du canal en 1903. Mais de plus en plus, les relations extérieures américaines jouent sur un terrain de "bonne entente", nouveau mode de relation entre pays dominés et dominant: en 1910 est fondée l'Union Panaméricaine, bastion de la diplomatie américaine.

Au Québec, le nouvel intérêt dans l'industrie des pâtes et papier illustre bien le besoin américain d'approvisionnement en matières premières. l'épuisement progressif des forêts américaines pousse les industries à accélérer l'exploitation du bois au Canada: à cause de ce besoin accru en bois et papier, les Américains remettent en vigueur un nouveau Traité de Réciprocité en 1911; en 1913 une autre baisse de tarif entre en vigueur. La concurrence des produits scandinaves du bois sur le marché anglais et de pâtes et papier sur le marché américain exige une production canadienne au plus bas prix, donc l'installation d'usines géantes telles l'International Paper Co. à Trois-Rivières. Parmi les facteurs qui déterminent l'implantation de cette industrie au Québec notons l'abondance des forêts et des cours d'eau qui constituent à la fois la voie de transport du bois la plus économique et une source d'énergie très disponible, et la présence d'une main d'oeuvre à bon marché. La valeur des exportations de papier journal et du pulpe va passer de $19 millions en 1913 à $150 millions en 1921![1]

Le capital américain placé au Canada sous la forme d'investissements directs (à peu près $630 millions en 1914)[2] accuse un taux de rendement bien supérieur à celui des britanniques. Cette période de 1900 à 1913 connaît la plus forte entrée de capitaux américains jusqu'à la grande vague de 1950. Les Américains accaparent les branches industrielles les plus productives. Par exemple, l'essor des Prairies est dû en bonne partie aux techniques et aux machines agricoles américaines: l'International Harvester Co. (1903) témoigne d'une présence américaine croissante dans le secteur agricole, sans oublier la Cie Borden's qui accumule les profits de la transformation des produits laitiers. De plus, les Américains accordent un intérêt spécial aux métaux industriels (aluminium), aux minéraux (amiante), à la production de l'énergie électrique (pour l'industrie de l'aluminium et des pâtes et papier), au monopole du commerce du pétrole, Progressivement, se tissent les liens de la dépendance économique, à travers une balance des paiements toujours déficitaire, comme le démontre l'évolution du rapport des exportations aux importations canadiennes.

1. Easterbrook, op. cit. p. 486.
2. Bonin, op. cit. p. 71.

TABLEAU IV

Rapport de la valeur des exportations/importations
canadiennes, 1868-1913

	1868	1874	1900	1910	1913
exportations	$58 millions	$89 m.	$183 m.	$298 m.	$380 m.
importations	$73 millions	$128 m.	$?	$370 m.	$670 m.

(1) (Easterbrook et Aitken, 1956, p. 401)

TABLEAU V

Investissements proportionnels
USA/Grande-Bretagne, 1900-1930

	États-Unis	Grande-Bretagne
1900	14%	85%
1922	44%	53%
1930	61%	36%

(1) (Bonin, 1967, p. 85)

TABLEAU VI

Répartition de l'investissement direct
U.S./Canada, 1897-1914

	1897 Millions (dollar US)	%	1914 Millions (dollar US)	%
Commerce	10.0	6.25	27.0	4.4
Mines (y compris fonte et affinage)	55.0	34.5	159.0	25.6
Pétrole (production et distribution)	6.0	3.75	25.0	4.0
Agriculture	12.0	11.3	101.0	16.5
Manufactures:				
pâtes et papiers	20.0	12.5	74.0	12.0
autres	35.0	21.9	147.0	23.8
Chemins de fer	12.7	7.95	68.9	11.2
Services publics	2.0	1.25	8.0	1.3
Divers	1.0	0.6	8.5	1.4
TOTAL	159.7	100.0	618.4	100.0

(2) (Bonin, 1967, p. 69)

2) Les répercussions économiques

a) "L'Âge d'Or" de l'industrie

La production manufacturière canadienne augmente de 2 1/2 fois entre 1900-1910. Les secteurs de production connaissent un développement inégal: les textiles doublent la valeur de leur production; le fer et l'acier, plus leurs dérivés, triplent leur production; le blé et la farine ont plus que quintuplé. Durant cette période, le nombre des entreprises croît de 19%, et le capital investi de 400% [1], indice évident du processus de concentration des capitaux, de la constitution des monopoles.

Au-delà des chiffres globaux, qui masquent souvent des réalités, il faut d'abord analyser l'évolution concrète de la production industrielle des provinces. L'État joue un rôle d'intervention de plus en plus accru dans les affaires économiques; par exemple, le gouvernement a une participation active dans la construction du complexe hydro-électrique en Ontario, alors que celui du Québec est laissé à la discrétion des compagnies privées.

1. Ryerson, op. cit. p. 136.

L'industrie ontarienne, assure en 1900, 50.6% de la production manufacturière du Canada, contre 31.9% pour le Québec [1]. Dès 1900, le fer et l'acier
sont de toute première importance en Ontario. Ce type d'exploitation et de
transformation révolutionne la production industrielle en ce sens qu'il
entraîne des améliorations techniques et une meilleure productivité du travail. L'industrie de l'automobile de même que celle des appareils électriques (contrôle américain) s'implantent dans la péninsule du Niagara. Ces
nouveaux progrès consacrent des voies de développement différentes pour
le Québec et l'Ontario. Même en 1915 où l'industrie du fer et de l'acier occupe le deuxième rang au Québec (à cause des besoins de la guerre), on
peut comparer la valeur ajoutée: pour le Québec, $14.1 millions, pour
l'Ontario, $46.8 millions [2].

N'oublions pas qu'au Québec en 1900, la valeur de la production
manufacturière ne constitue que 2% de la valeur totale de la production.
L'agriculture absorbe toujours 65% de cette valeur, comparativement à 37%
en 1920 [3]. La production de guerre est responsable prioritairement de ce
saut qualitatif. Au début du siècle, les industries à la base du développement économique au Québec sont caractérisées par leur main d'oeuvre peu
coûteuse et abondante (faible composition organique du capital): on
enregistre cependant un net déclin du cuir dans ces années, alors que
l'industrie du vêtement occupe le deuxième rang entre 1900-1910;
l'industrie de la pâte et papier a doublé la valeur de sa production de 1880 à
1910 (en 1905, elle atteint le premier rang pour ce qui est de la valeur
ajoutée).

Parallèlement au développement industriel, le mouvement
d'urbanisation atteint une vitesse jusqu'ici inégalée: de 1881 à 1911, la
population urbaine passe de 22.8% à 48.2%! On laisse deviner les problèmes conséquents de logement, de santé, les conditions de travail du
prolériarat des villes. Les années 1902-1914 connaissent également une
grande mobilité de population: une entrée massive d'immigrants se dirige
surtout vers les provinces de l'Ouest où des besoins de main d'oeuvre se font
sentir en agriculture. Cependant, ces grandes vagues d'immigration
s'accompagnent de fortes sorties de population vers l'étranger surtout du
Québec vers les usines de coton des États-Unis: cette expatriation massive
constitue un bon indice des conditions de vie misérables de la population
québécoise.

La première guerre mondiale a une incidence fondamentale sur la
croissance industrielle canadienne, notamment sur l'industrie minière.
Outre le fait que le Canada approvisionne l'Angleterre en hommes (la
conscription obligatoire déclenche des émeutes au Québec) et en produits
panifiables, les Canadiens financent eux-mêmes à peu près la totalité de
leur effort de guerre: en 1916-18, le matériel de guerre constitue le quart des
exportations canadiennes. L'embauchage dans les manufactures monte de

1. Maheu, in Economie Québécoise, p. 154.
2. Maheu, op. cit. p. 157.
3. Maheu, op. cit. p. 148.

32% entre 1915 et 1918. Si bien qu'à la fin de la guerre, le rapport entre production industrielle et production agricole se lit comme suit: les manufactures cumulent 44% de l'output national, l'agriculture 32%. L'industrie sidérurgique connaît un essor sans précédent, alors que l'exploitation des minéraux non-ferreux entre dans une phase de croissance: entre 1913 et 1918, la production du cuivre augmente de 54%, celle du plomb de 36%, celle du nickel de 85%. [1]

Cette nouvelle conjoncture économique a des rebondissements fatals dans le secteur agricole. Dans le mode de production capitaliste, le développement industriel détermine la position relative de l'agriculture: voyons comment s'articulent concrètement ces éléments.

b) L'agriculture: dernier regain

Jusqu'en 1915, les produits agricoles connaissent la hausse la plus importante dans l'économie canadienne. À cause de la hausse de la demande mondiale en blé, les Prairies absorbent 70% de tous les placements agricoles. Les besoins engendrés par la 1ère guerre, alors que la Russie, grenier traditionnel de l'Europe, cesse ses exportations, encouragent une production de blé accrue au Canada: la valeur des exportations de blé passe de $7 millions en 1901 à $311 millions en 1921. Les exportations de produits agricoles atteignent $252 millions en 1914 et $758 millions en 1918.

Dans les Prairies et l'Ontario, on ressent un sérieux manque de main d'oeuvre agricole, d'une part à cause de l'engagement militaire, de la hausse de la demande générale en produits agricoles, d'autre part à cause de l'attrait qu'offre l'industrie où les salaires et les conditions de travail se distinguent favorablement de ceux prévalant en agriculture. Le recours à une mécanisation toujours plus poussée s'avère indispensable, et fait la fortune des compagnies en place, de même que l'endettement des producteurs (les problèmes de crédit deviennent bientôt éminents dans les provinces de l'Ouest). La mécanisation accrue découle de la nécessité de rentabiliser la production. L'augmentation de la valeur du stock en machinerie dans les Prairies illustre bien ce phénomène: de $18.6 millions en 1901, elle monte à $356.6 millions en 1930, pour baisser ensuite à $296.9 millions en 1940 [2].

Pour parer au manque de main d'oeuvre, le gouvernement, ainsi que des agences de placement privées (CNR et CPR) stimulent la colonisation de l'Ouest: leur publicité a beaucoup d'emprise sur les paysans québécois qui, par milliers, migrent d'Est en Ouest chaque été, pour aller faire les récoltes de blé! Loin d'être le résultat d'une prospérité fondée et équilibrée, l'importance que l'on donne à la production du blé sous la poussée des évènements extérieurs, amène vite une surproduction, la baisse des prix à la suite des modifications de la conjoncture mondiale, l'endettement des producteurs immédiats, l'impasse économique. La situation amplifie les divisions régionales, érige en deux blocs antagonistes les producteurs de

1. Bonin, op. cit. p. 75-6.
2. Haythorne, Labor in Canadian Agriculture, p. 171.

l'Ouest contre ceux de l'Est, ces derniers devant soutenir les charges économiques des premiers. En effet, placé devant l'obligation économique de promouvoir la production de blé de l'Ouest, l'État canadien institution-nalise par des mesures d'échanges interprovinciaux des mécanismes de protection envers les agriculteurs de l'Ouest. Mentionnons l'exemple de l'approvisionnement en grains de provende des cultivateurs de l'Est. Ceux-ci doivent acheter à gros prix les grains de l'Ouest, alors que la production locale pourrait être encouragée.

Quant à la production laitière mise sur pied dès 1880, elle accentue toujours son mouvement d'intensification de la productivité: de 1900 à 1911, on note un accroissement annuel de 9%. La production laitière augmente de 152% de 1890 à 1910 [1]. Avec le développement des villes s'accroît le marché intérieur. L'Angleterre et ses colonies constituent encore un débouché stable, alors que les U.S.A. bloque par des tarifs élevés l'entrée des produits agricoles sur un marché protégé.

Évidemment l'Ontario précède toujours le Québec pour ce qui est de la valeur de la production. Comparons les chiffres pour le marché du beurre et du fromage (ce dernier beaucoup plus rentable parce que l'industrie est concentrée et mécanisée).

TABLEAU VII

Marché comparé
du beurre et du fromage

	Québec	Ontario
livres de beurre	24 millions	plus de 7 1/2 millions
livres de fromage	81 millions	132 millions

(2) Innis Essays in Canadian Economic History p. 216

Le taux de mécanisation rend compte du degré de productivité. La valeur moyenne par acre des investissements en outillage se lit comme suit·

---

1. Maheu, op. cit. p. 150.

TABLEAU VIII

Valeur comparée des investissements
en outillage par acre: 1901-1921

	Québec	Ontario
1901	$1.87	$2.47
1921	$6.49	$7.51

(1) Maheu, op. cit. p. 151

Cette période (1900-1920) consacre donc la transformation radicale du procès de production agricole, à la fois en lui-même, et par rapport aux autres secteurs de production. Le producteur agricole est de plus en plus lié et dépendant des lois du marché capitaliste. Les progrès de l'industrie, tant dans le domaine de la production des biens de production (machinerie) que dans celle des biens de consommation désormais nécessaires à l'agriculteur, la formation des prix de monopole en industrie: tout concorde à la hausse prodigieuse des coûts de production en agriculture. D'autre part, les prix concurrentiels des produits agricoles, les conditions limitées du marché, expliquent la baisse relative du niveau de vie du producteur agricole. **La détérioration de la position économique de l'agriculture** nous est donnée par la comparaison des salaires annuels dans l'industrie et l'agriculture, avant et après la guerre. Considérant que la période 1914-1920 est caractérisée par une forte inflation monétaire, les salaires montent pour atteindre leur sommet en 1920. Avec la fin de la guerre, on remarque une nette diminution du nombre des fermes, l'industrie ayant attiré des campagnes une main d'oeuvre nombreuse.

TABLEAU IX

Salaires annuels moyens, secteur agricole
et secteur industriel: 1911-1921

	1911	1921
ouvriers agricoles	$400.00	$ 547.00
ouvriers industriels	$451.00	$1,176.00

(1) Haythorne, op. cit. p. 349

3) La première guerre mondiale: un tournant décisif sur la scène mondiale

Au Canada, la guerre se traduit par un arrêt quasi-complet des entrées nettes de capitaux britanniques et par leur remplacement par des capitaux américains. Les investissements privés américains à long terme ont augmenté de $850 millions pendant la guerre, pour atteindre un total de $1,630 millions en 1918 [1]. De 1914 à 1918, le commerce avec les États-Unis évolue ainsi:

TABLEAU X

Commerce États-Unis/Canada, 1914-1918

	1914	1918
exportations	$177 millions	$440 millions
importations	$400 millions	$792 millions

(1) Easterbrook.., op. cit. p. 486

Pendant ce temps, le président Wilson multiplie les appels à la "liberté" de l'économie mondiale, donc à la suppression des barrières tarifaires.

On ne saurait trop surestimer les répercussions politiques et économiques de la 1ère guerre mondiale. En Europe, l'exacerbation d'intérêts impérialistes antagonistes mène à l'affrontement armé entre les puissances économiques: Allemagne, Angleterre, France, Russie. Les pays d'Europe vont sortir de la lutte chargés de lourdes dettes de guerre; l'Angleterre et la France réclament une réparation allemande totale, alors que les États-Unis exigent des alliés le remboursement des emprunts. Sur le plan industriel, les pays d'Europe sont durement touchés; ils doivent de plus affronter la concurrence du commerce mondial, accaparé entre temps par les américains. Pénalisés par l'inflation d'après-guerre, les pays européens sont obligés d'adopter une politique déflationniste pour affronter la concurrence. Les besoins de la concurrence exigeraient la modernisation de l'infrastructure économique, le renouvellement des moyens de production; aucun des vieux pays n'est en mesure d'assumer ces tâches. Seul le Japon risque de devenir un rival commercial de taille, mais les États-Unis tentent de réprimer l'impérialisme japonais. Lors des accords de Washington 1921-22, les États-Unis, en tant que créditeur mondial, règlementent la politique internationale. Leur objectif: abattre l'hégémonie anglaise, dominer l'Europe, étendre leur influence politique et économique en Asie, contrôler

1. St-Onge, L'Impérialisme Américain au Québec p. 11.

l'expansion japonaise. Avec la fondation de la Société des Nations, les États-Unis institutionnalisent le rôle d'arbitre qu'ils s'attribuent sur la scène mondiale.

Depuis 1917, une autre menace plus grande encore guette les pays impérialistes: en effet, la 1ère guerre mondiale a aussi favorisé la victoire de la 1ère révolution socialiste en U.R.S.S. Cette 1ère défaite infligée au régime tsariste et à ses alliés impérialistes sera le ferment d'un combat international contre l'exploitation capitaliste, et contre l'impérialisme.

À partir de la première guerre mondiale s'instaure un **système monétaire international**: la mesure-or ne connaît plus de frontières nationales, et le niveau des prix internes est lié directement aux conditions économiques mondiales (rapport entre les centres, du développement capitaliste et les périphéries). Ce phénomène découle de la nécessité du développement impérialiste. Pour protéger leur reconstruction interne, les pays d'Europe adoptent des politiques nationales protectionnistes ("trade restrictions"). L'Angleterre, elle, cherche à ne pas s'impliquer sur le continent, et tend à organiser ses liens avec ses colonies et dominions. Analysons maintenant les répercussions de l'après-guerre en Amérique du Nord.

B - CONSOLIDATION DES MONOPOLES ET DÉTÉRIORATION DE LA POSITION DE L'AGRICULTURE: 1920-1939

1) La montée de l'impérialisme

La fin de la guerre entraîne, avec la baisse de la demande mondiale, une crise de surproduction, donc une déflation monétaire importante qui dure jusqu'en 1922. Cette déflation amène une baisse importante de la demande de produits agricoles canadiens. Les pays d'Europe ont recours au protectionnisme. L'Angleterre sort du combat particulièrement brisée, à la fois sur le plan politique et économique. La convention navale de Washington lui a retiré le rang de première puissance des mers. La crise économique interne qui sévit dans les années 1920 a des répercussions au niveau des relations de travail: de nombreuses grèves éclatent (1926). Un taux de plus en plus élevé de chômage, enfin le mécontentement public face à diverses restrictions (exemple liberté syndicale) a pour conséquence la crise ministérielle de 1930. L'Angleterre ne se relèvera jamais totalement de l'effort de guerre et des crises subséquentes. La livre sterling est dévaluée pour pouvoir soutenir la concurrence mondiale

L'Angleterre tente de renforcer les liens économiques entre les pays du Commonwealth: premièrement, la Conférence impériale de 1926 consacre la fidélité commune des dominions à la couronne britannique, et la Conférence d'Ottawa (1932) délimite les accords de "préférence impériale". Il n'est pas dans l'esprit du Commonwealth d'instaurer des relations égalitaires entre les pays concernés, au contraire, cette super-structure politique sert à souhait les intérêts de l'ancienne métropole: les historiens s'entendent sur le fait que la crise économique interne de l'Angleterre est surmontée, en très grande partie, grâce au bas coût des matières premières et des produits agricoles importés. Le Canada est un des meilleurs pourvoyeurs de la "mère-patrie". Malgré ces tentatives de l'Angleterre de préserver ses zones d'influence, l'aspect déterminant de cette époque demeure sur le plan international, la montée de l'impérialisme américain, et sur le plan canadien, les manifestations d'autonomie de plus en plus grande face à l'Ancienne métropole.

La montée prodigieuse de la puissance américaine demeure cependant l'aspect déterminant de cette période. Nous avons vu comment les accords de Washington ont règlementé la politique internationale. Pour les États-Unis la question des dettes de guerre européennes demeure longtemps litigieuse. À cet effet, certains dirigeants américains d'après-guerre adoptent des positions isolationnistes à l'égard de l'Europe: le protectionnisme est renforcé entre 1920 et 1930. Sur le plan des relations extérieures, la politique de "bon voisinage" remplace bientôt celle dite du "gros bâton": elle correspond davantage aux besoins d'exportation du capital. Des investissements massifs se font surtout en Amérique latine (notons aussi que les U.S.A., à la fin de la première guerre, se sont avantageusement accaparés le pétrole du Moyen-Orient, jadis sous contrôle allemand et anglais). Un faible indice des progrès industriels mondiaux d'après-guerre (le capital américain y jouant un grand rôle) nous est donné par ces chiffres: entre 1925 et 1929, la production industrielle mondiale augmente de 23%; entre 1932 et 1939, elle croît de 70%! En réalité, la production de 1936 ne fait qu'atteindre le sommet de 1913.

Aux États-Unis en 1920, le gouvernement républicain l'emporte; les lois favorisent les grandes fortunes en réduisant l'intervention des pouvoirs fédéraux et en diminuant les impôts. Le protectionnisme aide les industriels, si bien qu'entre 1921 et 1929, la production industrielle américaine double! Une très forte concentration économique s'opère, surtout dans le domaine des banques, des industries automobiles et alimentaires: les petits concurrents sont irrémédiablement balayés. En 1929, aux U.S.A. on enregistre 1,245 fusions de compagnies! [1] Le monde du travail est secoué d'une série de grève dures, d'attentats qui répondent à la montée du terrorisme de droite (belles années du K.K.K.). Des études fort pertinentes [2] ont démontré les liens organiques entre capitalisme et pègre: l'époque de la prohibition en donne foi (1920).

La surproduction effrenée mène à la crise mondiale de 1929. Aux U.S.A., noyau de la crise, la situation des travailleurs est critique: 15 millions de chômeurs crèvent de faim, les agriculteurs arrivent à peine à survivre, la production industrielle est bombée de 54%. La transmission de la crise entraîne la fermeture des marchés extérieurs; le rétablissement rapide du commerce mondial (c'est-à-dire la rentabilisation des intérêts des

---

1. Chevalier, La structure financière de l'industrie amer, p. 186.
2. New England Free Press.

capitalistes américains surtout) est gêné par les mesures de protection douanière des économies nationales. Mais la reprise des affaires ne saurait tarder: les gros monopoles sortent renforcis de la crise, celle-ci ayant contribué à ruiner les plus faibles concurrents.

Roosevelt (1933-1945) se présente comme l'artisan de la reconstruction. Le New Deal de 1933 met en oeuvre des mesures d'urgence pour contrecarrer les méfaits de la crise. Sous la pression des revendications sociales, le gouvernement adopte une politique de sécurité sociale, de soutien agricole, de planification régionale. En 1935, tout en légalisant certains droits des syndicats, le gouvernement contrôle les unions en écartant les communistes. Roosevelt consacre tous ses efforts à la "collaboration" internationale: les américains reconnaissent le "succès" (financier) de la politique de "bonne entente" en Amérique latine. En 1936, les accords américano-canadiens rétablissent une sorte de réciprocité commerciale entre les deux pays. De plus en plus, avec l'éminence de la deuxième guerre, les U.S.A. ont cherché à développer et consolider les échanges avec l'Angleterre: 1938, Entente Tripartite comprenant France-Angleterre-U.S.A.; Triangle de l'Atlantique Nord, Canada-Angleterre-U.S.A. L'approche de la guerre et les besoins de l'impérialisme exigent une baisse des tendances protectionnistes des pays américains et européens.

Nous avons insisté sur l'évolution de la conjoncture américaine car les destinées économiques et politiques d'un pays comme le Canada sont grandement influencées par les rapports de force mondiaux: il est essentiel de toujours situer le développement économique du Québec et du Canada dans le rapport de force qui oppose les puissances impérialistes. D'une part, le Canada maintient au sein du Commonwealth, ses relations de commerce avec l'Angleterre; d'autre part, il fait de plus en plus le jeu des intérêts capitalistes américains.

2) L'industrie d'après-guerre et la crise

En général, la première guerre eut pour conséquence de susciter l'essor des industries mécaniques, électriques et chimiques, d'accentuer la recherche des sources de pétrole et des nouveaux métaux. On remarque donc un recul de l'exploitation du charbon, au profit de nouvelles sources d'énergie, et une baisse de l'importance relative des industries textiles. L'après-guerre (1920-25) enregistre un net ralentissement des activités économiques: la production excédentaire des industries conçues en fonction des besoins de guerre pèse lourd sur l'économie du pays. Les problèmes de surproduction, une certaine stagnation de la production agricole (baisse du pouvoir d'achat des cultivateurs), les difficultés du système monétaire, finalement la volonté de la bourgeoisie canadienne de protéger son marché interne, expliquent le recul du libre-échange au Canada comme ailleurs. Selon certains auteurs, "le nationalisme canadien fut systématiquement encouragé et exploité par le capital américain"[1]. Un marché protégé

---

1. Bonin, op. cit. p. 93.

offre de meilleures garanties d'implantation. L'existence même de la protection est souvent suffisante pour inciter le producteur étranger à venir s'implanter sur un marché plutôt que de l'approvisionner de l'extérieur.

Après la guerre, les américains demeurent les principaux fournisseurs et les principaux clients du Canada; dès 1928 ils ont déclassé la Grande-Bretagne. Pendant le boom industriel des années 1920, la pénétration du capital américain et le contrôle qu'il exerce sur les industries de base canadienne ne cesse de s'amplifier. La dépression et les tarifs élevés de 1930 vont plutôt encourager la migration des entreprises américaines au Canada et l'extension de l'impérialisme.

Il faut se prévenir contre les interprétations bornées et simplistes de ce qu'est le contrôle étranger. Certains auteurs, et ce sont les plus nombreux, méconnaissent totalement le caractère propre du **monopole**, et se limitent strictement à la définition juridique de la propriété étrangère, c'est-à-dire celle dont les propriétaires sont des **non-résidents**. La notion traditionnelle du contrôle étranger veut que 50% et plus des actions soient détenues par un pays étranger. Il est évident qu'une pareille définition masque tout-à-fait les possibilités d'accommodation du capital international; de même, les formes de contrôle sont beaucoup plus subtiles et malléables que les formes légales de propriété. Au point de vue de la **propriété légale** des entreprises, il existe de multiples façons de camoufler l'identité du véritable propriétaire d'actions (il n'y a vraiment, que les économistes-idéologues bourgeois qui n'en tiennent pas compte). Énumérons simplement quelques-unes de ces mesures: 1- les actions peuvent se prendre au nom d'un "propriétaire bénéficiaire", 2- on peut utiliser des noms d'emprunts, 3- tout actionnaire qui possède moins de 10% des actions peut demeurer incognito, 4- le pourcentage d'actions que possède une personne ou une société peut être hors de proportion avec les votes qu'on lui concède, etc, etc... Inutile de mentionner les raisons qui poussent les propriétaires réels à camoufler leur identité: loi anti-trust, concurrence et espionnage industriel, opinion publique, impôts et taxes, etc... d'autre part, la notion de **contrôle** n'est pas une question technique qu'on peut mesurer facilement. Les spécialistes de la matière affirment que dans certains cas, 5% des actions suffisent à contrôler une société [1]. Divers moyens s'offrent aux monopoles pour contrôler de l'extérieur certaines entreprises: par exemple, la production sous licence, les franchises, les contrats d'exclusivité de fournitures, les marchés captifs, etc... La plupart des statistiques gouvernementales (ex.: Rapport Gray) ne traduisent pas cette réalité économique, car celle-ci ne peut se lire à travers les chiffres officiels: la fameuse "mainmise étrangère" n'est comprise que dans son sens le plus restreint et le plus évident. On doit donc lire les chiffres cités en sachant qu'ils minimisent toujours la part **réelle** du contrôle étranger sur l'économie canadienne.

---

1. Chevalier, op. cit. p. 186.

Cette mise en garde étant faite, retraçons, avec les moyens modestes dont nous disposons, les progrès de l'implantation américaine au Québec. Nous avons mentionné précédemment à quelles nécessités d'expansion du capital répond la stratégie d'implantation industrielle (recherche de matières premières et de main d'oeuvre à bon marché): cet aspect du reste creusé de façon insuffisante. Avec la fin de la guerre et un développement industriel fulgurant aux États-Unis, on voit bientôt s'installer au Canada les usines de montage de Ford et G.M. Face au développement de l'industrie automobile, Impérial Oil prend de l'expansion: ces deux éléments constituent la base économique des vastes programmes de construction de routes. En 1925, les historiens évaluent à 50% le contrôle étranger dans le domaine de l'extraction des ressources naturelles du pays: Inco, l'Alcan à Arvida, l'amiante à Asbestos et à Thetford: expansion de la cie CIP, des trusts de l'électricité au Québec; domination du capital américain dans l'industrie du poisson. Dans le secteur financier, l'emprise étrangère est aussi importante quoique moins forte: mentionnons uniquement le fait qu'en 1922 (année dépressive), les cies d'assurance-vie étrangères (domaine traditionnellement canadien) retiraient plus de $20 millions par an du Québec. [1].

Le passage progressif au capitalisme monopoliste demande l'élimination plus radicale des petits concurrents: c'est cette tendance à la monopolisation des entreprises que nous démontre S. Ryerson. La concentration des capitaux, l'amélioration des techniques, amènent une productivité accrue, mais aussi un développement de plus en plus inégal entre les branches de la production industrielle: Nous voyons ici qu'à cause de la composition organique du capital, c'est l'industrie métallurgique qui a subit la plus forte concentration et le plus grand accroissement de productivité.

TABLEAU XI

Concentration des capitaux dans
trois secteurs industriels: 1915-1938

	1915		1938	
	nombre des entreprises	production par entrep.	nombre des entreprises	production par entrep.
pulpe et papier	35	$672,200	44	$ 2,022,500
métaux non-ferreux	9	$222,200	4	$19,768,600
tabac	64	$354,900	57	$ 687,000

(1) Ryerson, French Canada, p. 137

1. Bédard, L'essor économique du Québec, p. 366.

Ici encore, le nombre des entreprises par branche de production indique mal le véritable degré de concentration. Mais Ryerson analyse davantage la question: en 1938, moins de 2% des entreprises au Québec (à peu près 166) détiennent 67% du capital total; et de ces 166 compagnies, à peu près 28, soit 0.3% du total, possèdent 23.5% du capital total! Au premier rang des monopoles viennent les compagnies de pulpe et papier, 9 cies américaines dont l'une à Trois-Rivières, la International Paper détient 30,000 milles ^{2} de forêt en concession. Au deuxième rang se classent les compagnies qui exploitent les métaux non-ferreux: au nombre de 4, ce sont, entre autres, l'American Aluminium Trust et l'International Nickel and Mond... Les textiles se trouvent au troisième rang des secteurs monopolisés, avec la Dominion Textile Cie et la Canadian Celanese qui à eux deux emploient 41% des travailleurs de cette branche [1].

Au Québec, malgré le fait que les produits du papier et l'exploitation du fer et de l'acier connaissent une croissance accélérée, c'est toujours l'industrie textile et celle du vêtement qui frappent par leur expansion, surtout après 1933. En 1934, la main d'oeuvre industrielle se répartit comme suit; textiles 49,700 personnes, papier 28,234 personnes, fer 16,184 personnes. Cette spécialisation dans les industries textiles marque nettement le faible développement des forces productrices au Québec par rapport à l'Ontario.

La crise économique de 1929 prend beaucoup d'ampleur au Canada: dès les débuts, il existe plus de 30% de chômage. Cette crise a des répercussions différentes selon les secteurs de production: l'agriculture est la plus durement touchée à cause de sa position structurale dans l'économie. L'industrie ne se relèvera faiblement qu'à partir de 1936, et doit attendre les "bienfaits" de la production de guerre pour dépasser le niveau de productivité de 1913! On ne saurait imaginer les conditions de vie misérables qui prévalaient au Québec à cette époque. Ryerson [2] nous en donne un aperçu: par exemple la ville de Trois-Rivières en 1936, a le plus haut taux de mortalité infantile au monde (plus haut que Bombay en Inde)! Cette simple remarque nous laisse entrevoir les conditions de travail dans les villes (sans oublier les campagnes où s'entassent les chômeurs), la maladie, la faim, la misère du prolétariat et de la paysannerie.

Des centrales syndicales voient le jour au Québec. La Confédération des Travailleurs Catholiques du Canada est fondée en 1921, pour balayer les communistes en dehors des syndicats, et permettre un meilleur contrôle de l'état et de la bourgeoisie sur les organisations ouvrières. En s'inspirant des encycliques papales, les économistes prêchent le corporatisme dans les relations de travail. Vers 1922, on peut dire que les syndicats "radicaux" socialistes des débuts du siècle sont écrasés par la répression commune du gouvernement, des patrons et des unions adverses, souvent encouragées par les patrons. La Fédération Canadienne du Travail est instituée en 1927.

Face au militantisme ouvrier, les gros monopoles se liguent pour abattre le syndicalisme de combat. Le premier règne de Duplessis (1936-39)

1. Ryerson, op. cit. p. 131.
2. Ryerson, op. cit.

marque une période de lutte ouverte contre la classe ouvrière (Loi du Cadenas, 1937): toutes les organisations ouvrières sont mises hors-la-loi, les dirigeants syndicaux emprisonnés, poursuivis; le terrorisme est systématiquement appliqué pour décourager les militants. La collusion des intérêts de classe est claire entre les forces répressives de l'État (police, armée, tribunaux), les gros financiers et capitalistes industriels, et le clergé.

Duplessis a gagné ses élections grâce au soutien financier de la moyenne bourgeoisie locale, et à cause également du programme électoral qu'il met de l'avant: lutte contre les trusts, nationalisme, etc... Ce programme correspond à une prise de conscience populaire de l'état d'assujetissement du Québec au grand capital. Nul gouvernement mieux que celui de Duplessis n'a si bien fraudé l'électorat québécois: son règne favorise la montée des organisations fascistes au Québec, encourage la consolidation des monopoles et la spoliation de nos richesses naturelles.

La crise de 1829 est suivie au Canada d'une période de capitalisme nationaliste (c'est-à-dire hausse de la protection tarifaire), ce qui explique "partiellement" le déclin relatif de l'apport des capitaux étrangers entre 1920 et 1940. Pendant cette période de crise, les investissements américains se font plus nombreux dans le secteur des placements de portefeuille (tendance qui correspond à la conjoncture économique et politique). Comme solution aux fluctuations économiques répercutées par les crises extérieures, le gouvernement canadien crée en 1935 la Banque du Canada, instrument responsable du contrôle monétaire interne.

En 1935, les U.S.A. cherchent à renouer une entente de réciprocité avec le Canada; ces accords de commerce représentent un pas important vers la reconnaissance du caractère "vital" des relations canado-américaines: le traité de réciprocité institutionnalise des rapports de dépendance. Ainsi s'amorce une faible reprise économique dès 1936. Entre 1933 et 37, le nombre des employés de manufacture augmente de 33% dans l'île de Montréal, de 46% dans la région de Drummondville, de 60% dans celle de Sherbrooke[1]! L'aspect essentiel du développement de l'industrie au Québec à cette époque consiste dans le fait que les manufactures de textiles délaissent Montréal pour les petites villes des Cantons de l'Est, à la recherche d'une main d'oeuvre soumise et très peu coûteuse. Le surplus de population agricole dans les campagnes par suite de l'exode des villes, l'état misérable qui la caractérise, justifient des salaires de crève-faim, l'insécurité d'emploi, les conditions de travail insalubres. La constitution d'une armée industrielle de réserve (maintien d'un taux de chômage élevé) est une garantie pour les patrons, de la faible rémunération de la force de travail.

Après cette lente reprise, la baisse du commerce avec le Royaume-Uni, et les conditions économiques aux U.S.A., transmettent au Canada une récession partielle en 1937-38. À la veille de la IIe guerre, les pays du bloc Atlantique voient la nécessité de renforcer leurs liens. C'est alors que se

---

1. Haythorne, op. cit. p. 304.

forme le Triangle de l'Atlantique Nord (1938) où Canada, U.S.A. et Angleterre planifient le réarmement et les besoins de guerre. Malgré différentes mesures économiques, le Canada de 1939 compte encore 600,000 chômeurs.

3) Misères de l'agriculture

Nous abordons ici une période fort complexe du point de vue du développement de l'agriculture, à la fois en ce qui concerne les transformations du procès de production agricole lui-même, qu'en ce qui regarde l'évolution des rapports entre les secteurs de production agriculture/industrie. Un développement industriel croissant, stimule, par la production de guerre 1914-18, attire de plus en plus de main d'oeuvre des campagnes. La concentration des capitaux et des entreprises stimule la recherche technologique et engendre une productivité accrue du travail humain. L'élimination progressive des petits concurrents permet désormais aux entreprises multi-nationales de hausser les prix de la marchandise produite en s'assurant ainsi des sur-profits de monopoles.

L'agriculture elle, demeure toujours un secteur fortement **concurrentiel**, où la modernisation et la mécanisation est nécessaire à l'accroissement des rendements de la terre et à la productivité du travail. Les prix des produits agricoles doivent demeurer bas, sinon l'industrie en défrayera les coûts dans la rémunération de la main d'oeuvre ouvrière. Pour produire au plus bas coût, l'agriculteur doit améliorer la productivité de ses outils, donc acheter des machines de plus en plus perfectionnées et de plus en plus chères. En réalité, seule une minorité de producteurs (les plus gros, et encore ce n'est pas une garantie de succès en agriculture arriveront à "rentabiliser" ainsi leur entreprise; la plupart seront ou éliminés de la course et migreront vers les villes, ou survivront sur la terre avec un maigre revenu et de lourdes dettes (la majorité).

L'agriculteur, en tant qu'acheteur de produits manufacturés, supporte la hausse des prix de monopoles (machines, engrais...) alors que les prix agricoles eux n'augmentent pas aussi vite que ceux de l'industrie. La situation générale de l'agriculture se détériore rapidement. Par suite de l'élimination des petits producteurs, le nombre de fermes diminue constamment, et une partie de la population rurale migre vers les villes, sauf en temps de crise économique intense, car nous le verrons, les mouvements de la main d'oeuvre agricole sont étroitement reliés au taux global de croissance économique. Par ailleurs, il existe un mouvement parallèle de consolidation des fermes les plus prospères (concentration des terres, intensification de la culture), particulièrement près des centres urbains, à proximité des grands marchés.

Nous touchons ici à un résultat majeur du développement capitaliste dans l'agriculture: **l'accentuation des inégalités entre les régions**. **Premièrement**, les grandes fermes se consolident par l'intensification, la spécialisation de la production, l'accroissement du territoire; elles se caractérisent par leur proximité des marchés urbains, un type de production spécifique, une certaine répartition de la main d'oeuvre, et un rapport différent à la propriété. **Deuxièmement,** les régions frontalières, elles, s'appauvrissent constamment: le producteur agricole doit entretenir des activités "compensatoires" pour survivre, souvent même il abandonne la terre et se dirige vers l'industrie, ou vit sur l'assistance publique. Le maintien des contradictions entre grandes et petites exploitations en agriculture est une question fondamentale qu'il faudrait examiner à la lumière des remarquables écrits de certains théoriciens tels K. Kautsky, Lénine. Leur étude est beaucoup trop détaillée pour être intercallée dans cette brève synthèse historique. Une analyse systématique de ces questions est abordée dans la recherche de Diane Lessard touchant l'évolution de la taille, de la composition des fermes au Québec, de même que sur les composantes du travail agricole. [1]. Nous nous contenterons, dans les chapitres à venir, de dresser grossièrement les grandes lignes du développement de l'agriculture, de façon à situer ce développement en référence à celui de l'industrie.

Du point de vue de l'agriculture comme de l'industrie, les provinces se spécialisent de plus en plus, et connaissent des voies de développement différentes sinon antagonistes. Au début des années 1920, les Prairies volent la vedette aux provinces de l'Est: les fermes de l'Ouest dépassent en valeur-capital celles de l'Ontario et du Québec. C'est une façon de parler bien sûr, car les problèmes de crédit sont aigüs dans l'Ouest. D'ailleurs les belles années de la production du blé subiront de tragiques revirements: c'est le sort d'une production agricole extrêmement spécialisée et totalement dépendante de la conjoncture économique mondiale. De 1922 à 1926, le Canada produit 38% des exportations mondiales de blé. Les Prairies sont au prise avec une grave pénurie de main d'oeuvre: 70% des placements agricoles sont destinés aux Prairies contre 25% en Ontario et seulement 1% au Québec! Les années 1926-30 réalisent le sommet de la production de blé au Canada. La stimulation à la production de blé fait tant et si bien que bientôt on accumule des surplus énormes non-écoulables sur le marché. En 1930, les prix du blé sont tombés à moins du 1/4 de ce qu'ils étaient en 1917-20. La production de blé des Cantons de l'Est passe de 12,000 acres cultivés à 1,600. Le mouvement de migration est-ouest de la force de travail agricole est radicalement interrompu pendant la crise. L'agriculture des Prairies prend vraiment le plus dur coup de cette conjoncture économique: le revenu provenant de la vente du blé passe de $218 millions (1928) à $17 millions (1937)! La Saskatchewan voit son revenu par tête baisser de 72%[2]! Sur la scène mondiale, de nouveaux concurrents modifient le tableau des exportateurs de blé: l'URSS revient en force, les USA, l'Argentine, l'Australie... À partir de ce moment, la population décroît de façon absolue dans l'Ouest canadien, et le gouvernement fédéral soutient la production agricole de l'ouest par toutes sortes de mesures (ex.: l'exportation des grains de provende au Québec).

L'évolution de la **main d'oeuvre,** de l'organisation du travail en agriculture est un indice majeur des transformations organiques qui

---

1. Lessard, L'agriculture et le capitalisme au Québec. Édition l'Étincelle 1976.
2. Easterbrook, op. cit. p. 494.

s'opèrent dans ce secteur; et ces changements sont toujours reliés à la situation générale de l'économie. Le secteur agricole est soumis aux impératifs de développement de l'industrie capitaliste. Celle-ci est-elle en pleine expansion? Les campagnes fourniront la main d'oeuvre nécessaire conséquemment à la baisse relative du niveau de vie de l'agriculteur. La surproduction industrielle provoque-t-elle une crise économique (inflation, chômage)? Les campagnes absorbent les chômeurs des villes et supportent l'entretien de ce surplus de population, armée de réserve éventuelle de l'industrie. L'évolution de la population active au Canada entre 1921 et 1941 rend compte de cette fonction de "compensation" qu'a l'agriculture (absorbtion des chômeurs par les campagnes perdant la crise), et aussi la disporportion croissante entre ces deux secteurs;

TABLEAU XIII

*Personnes de plus de 14 ans sur le marché du travail,
1921-1941 (en millions de personnes)*

	activités non-agricoles	activités agricoles
1921	1.96	1.17
1926	2.30	1.25
1931	2.45	1.22
1936	2.58	1.32
1941	3.05	1.22

(1) Maheu, op. cit. p. 177

Un autre facteur qui sera analysé plus attentivement dans la recherche de D. Lessard, concerne l'évolution de l'emploi d'ouvriers agricoles (travail payé et non-payé). On sait que Marx en fait une des conditions du caractère capitaliste de l'exploitation agricole, et que ses prédictions à ce sujet ne se sont pas réalisées exactement jusqu'à ce jour. Aussi faut-il chercher à déceler les fondements économiques et politiques de cet état de chose. Kautsky remarque avec justesse le caractère particulier de la main d'ocuvre agricole, les conditions matérielles qui en font le métier le plus ingrat. Il analyse les **tendances contradictoires** qui, en agriculture, entravent l'intensification de la grande exploitation. On a mésestimé la résistance séculaire du petit producteur à l'expropriation, sont attachement forcené à la "propriété" de ses moyens de production, sa lutte individuelle contre l'avalement capitaliste, aux dépens de son propre bien-être, sans compter le soutien continuel du gouvernement aux petits producteurs, remparts de la propriété privée et des valeurs conservatrices, agent politique important étant donné l'organisation de la carte électorale au Québec. Tant que se maintiendra la résistance du petit producteur, la grande exploitation ne saura prendre beaucoup d'expansion, car c'est la petite propriété qui alimente les grandes exploitations en main d'oeuvre, et qui limite son expansion territoriale. Il se joue un rapport dialectique entre l'extension et la réduction de ces deux types d'exploitation.

Une certitude nous est révélée par les statistiques: il y a évolution progressive de l'emploi agricole, mais cette évolution est différente selon les régions sans aucun doute selon les types de culture. Serait-elle due uniquement à une augmentation quantitative de la production? Quelles sont ses possibilités d'extension? Autre question à examiner. Les tableaux tirés du livre de M. Haythorne décrivent le processus mentionné.

TABLEAU XIV

Évolution du temps de travail payé en agriculture
(en milliers)

	Total des semaines de travail			Moyenne par ferme		
	1900	1910	1930	1900	1910	1930
Québec	894	681	786	6.4	4.5	5.8
Ontario	2,360	1,688	2,429	11.6	8.0	12.6
Prairies	650	1,373	3,308	11.8	6.9	11.5
Canada	4,474	4,171	7,369	8.8	6.1	10.1

(1) Haythorne, op. cit. p. 247

TABLEAU XV

Évolution de l'emploi d'ouvriers agricoles
(nombre)

	1891	1931	changements
Maritimes	14,554	14,496	- 58
Québec	15,052	24,038	+ 8,986
Ontario	41,583	65,321	+ 23,738
Prairies	8,845	96,613	+ 87,768

(1) Haythorne, op. cit. p. 192

Les années 1925-30 connaissent une rare pénurie de main d'oeuvre agricole: 30% des placements des bureaux fédéraux sont faits dans l'agriculture. Comment expliquer ce phénomène? D'abord cette situation n'est pas généralisée à l'ensemble du pays, et correspond, dans les régions concernées, à une conjoncture économique spéciale: la sur-production de blé dans l'Ouest, l'essor industriel dans l'Ontario.

En Ontario, les hauts salaires de l'industrie d'après-guerre attirent les fils de cultivateurs, souvent même les exploitants délaissent leur ferme. La famille étant moins nombreuse qu'au Québec, on n'arrive pas à compenser la perte de main d'oeuvre et un manque sérieux se fait sentir. Il faut noter que le type de production quelque peu différent en Ontario (fruits, légumes, tabac) requiert un plus grand nombre d'ouvriers saisonniers: par exemple en 1939, 24% des placements sont pour moins d'un mois. Le travail agricole est sous la complète dépendance du propriétaire. Sa situation transitoire, exigée par le type de production agricole, lui interdit de se mettre en ménage et d'acquérir une sécurité minimale. Le travail est dur et long, le logement minable, les salaires excessivement bas. Seuls les plus pauvres d'entre tous peuvent s'accomoder de pareilles conditions: on recrute les ouvriers agricoles parmi les couches les plus défavorisées des campagnes, les immigrants...

Pour combler cette déficience chronique en matière de main d'oeuvre, le gouvernement multiplie les politiques de soutien. L'Ontario connaît une immigration intensive entre 1920 et 1930. Le gouvernement canadien organise une large publicité auprès des jeunes prolétaires de Grande-Bretagne: on fait venir des jeunes de 15 ans pour les placer comme apprenti agricole pendant trois ans, **sans rémunération!** Au total, on enregistre 1,773 de ces ouvriers. À partir de 1929, on engage des jeunes anglais de 17-22 ans (1,722 recrues). Un grand nombre de soldats qui reviennent de la guerre sont ainsi placés sur des fermes (juste retour des choses, les campagnes étant le réservoir traditionnel de l'armée). Les placements gouvernementaux se chiffrent ainsi: 1924, 4,267 ouvriers; 1929, 3,843 dont la moitié viennent d'Angleterre. En 1933, le plan fédéral prend fin [1].

Le gouvernement est efficacement appuyé dans ses politiques par les compagnies privées directement intéressées à la récolte (elles aident au recrutement) et par les églises (surtout l'église catholique), qui jouent un rôle actif comme agences de placement et de publicité pour le travail agricole. En Ontario, l'armée du Salut seconde le placement d'immigrants sur les fermes. Vers 1931 et pendant la crise (1934-35), le gouvernement donne même des subsides aux cultivateurs qui emploient de la main d'oeuvre, et aux travailleurs eux-mêmes.

En général, les salaires agricoles montent légèrement pour faire face à la concurrence des autres secteurs d'emploi (si on exclut les périodes de crise). Comme pour l'Ouest, la pénurie de main d'oeuvre agricole pousse les

---

1. Haythorne, op. cit. p. 320.

exploitants ontariens à une mécanisation accrue: entre 1921 et 1931, le nombre de tracteurs double au Canada, et cette expansion n'est due qu'à l'essor de l'Ouest et de l'Ontario. Il ne faut toutefois par mésestimer les i- négalités régionales toujours présentes; nous tenons à le rappeler même si nous ne développerons pas ce point précis.

La disparité Québec/Ontario ne fait que s'amplifier avec l'utilisation de la machinerie. À tous les niveaux, l'exploitation agricole ontarienne témoigne d'une plus forte concentration de capital, résultat de tout un processus historique (référer chap. II (b)). Comparons la valeur de la ferme et des investissements dans les deux provinces en 1931.

TABLEAU XVI

Valeur des moyens de production agricole
Québec/Ontario, 1931

	Capital total par ferme	Valeur par ferme	Terre à l'acre	Bâti- ments	Équip- pements	Bétail
Québec: région métropoli- taine	$ 8,417	$4,305	37	$2,426	$875	$ 811
région fron- talière	$ 5,041	$2,526	22	$1,443	$561	$ 512
Ontario: région métropoli- taine	$10,506	$4,835	52	$3,378	$919	$1,014
région fron- talière	$ 3,638	$1,534	9	$1,046	$503	$ 555
Total Québec	$ 6,452	$3,135	25	$1,897	$715	$ 705
Total Ontario	$ 7,273	$3,048	26	$2,534	$791	$ 900

(1) Haythorne, op. cit. p. 133

Remarquez que les moyennes, en faisant abstraction des inégalités régionales, faussent la véritable composition du capital des fermes vraiment productives, et ne permettent pas une comparaison fructueuse.

Qu'en est-il de la production agricole au Québec pendant ces années mouvementées? En 1930, la production sur la ferme est encore très diversifiée au Québec: les récoltes constituent encore 60% de la valeur totale de la production, et le foin représente 70% de ces récoltes. En général, les régions environnant Montréal, et plus spécialement les Cantons de l'Est, se spécialisent dans la production laitière qui égale maintenant 30% de la valeur de la production de ces fermes. D'ailleurs à cette époque d'avant-crise, seuls les Cantons de l'Est demeurent une région active d'emploi agricole, avec, à un moindre égard, la valée de la Gatineau et les environs de la métropole.

Jusqu'en 1929, le commerce des produits laitiers avec les U.S.A. est profitable. Mais à partir de la crise, ces derniers vont tenter de relever les prix de leurs propres produits agricoles en imposant une politique interne de restriction à la production, et évidemment en haussant les tarifs douaniers avec le Canada. Comme résultat de la politique du New Deal (Agricultural Adjustement Administration), les exportations de lait tombent de 3,800,000 gallons en 1929 à 16,000 gallons en 1933! [1].

On juge de l'ampleur de la catastrophe au Québec. Le salaire agricole suit directement le mouvement des crises: il est le plus exposé aux fluctuations économiques. Pendant le plus fort de la crise (1929-33), il baisse de plus de 50%, alors que le salaire industriel moyen baisse d'à peu près 20%. Le salaire des ouvriers agricoles se situe entre $5. et $20. par mois d'été; la plupart ne travaillent que pour leur pension pendant l'hiver.

Au Québec, la situation est critique. Comme signe de l'impuissance économique et politique de la bourgeoisie, notre élite locale ramène encore la vieille solution du "Retour à la terre". Il ne faut pas se surprendre que cette politique ait reçu plus de faveur au Québec qu'en Ontario par exemple. Les subventions totales au budget de la colonisation sont trois fois plus élevées au Québec: de 1930 à 1938, le Québec débourse $16 millions pour ouvrir des routes à la colonisation. En réalité, le gouvernement provincial n'a, face à la crise, aucune autre solution économique disponible. Le retour à la terre n'est qu'un palliatif qui devrait permettre au moins d'offrir une subsistance provisoire à la masse des travailleurs, d'éviter les troubles sociaux des villes... On crée un peu partout des "camps de travailleurs": ces gens sont employés à diverses tâches et ne sont entretenus que par une maigre pitance. En 1936, après des émeutes soigneusement tues par les historiens, on abroge les camps de travail. 7,260 travailleurs, dont 1,733 femmes, sont placés sur les fermes. Les capitalistes industriels et l'État font supporter à l'agriculture. t toute la charge économique et sociale de la crise qui, elle, a ses origines dans la surproduction industrielle. C'est en ce sens que l'agriculture est un secteur de production totalement dominé par des lois du développement capitaliste.

La période des années 1930 connaît la plus forte concentration de population agricole depuis 1880. En 1931, la proportion d'exploitant par rapport à la population agricole totale se situe entre 13 et 18%, et 9/10 des

1. Haythorne, op. cit. p. 156.

fermes au Québec déclarent 2 travailleurs agricoles dans la famille, sans compter les femmes! Le Canada, dans son ensemble, donne le tableau suivant de la main d'oeuvre agricole (en excluant encore une fois la main d'oeuvre féminine considérée comme une main d'oeuvre "d'appoint").

TABLEAU XVII

Composition de la main d'oeuvre agricole au Canada, 1931

	Hommes		Femmes	
	nombre	%	nombre	%
exploitants	626,112	56.5	19,196	79.8
aides-familiaux	281,186	25.4	3,214	13.3
ouvriers agricoles	200,468	18.1	1,669	6.9

(1) Haythorne, op. cit. p. 214

En fait, même si l'Ontario possède à cette époque 56,000 fermes de plus que le Québec, le nombre des travailleurs agricoles **non-payés** dépasse de 24,000 au Québec le total de ceux de l'Ontario: par exemple, le Bas-du-Fleuve déclare 14,000 chefs d'entreprise agricole pour 15,000 aides familiaux! La répartition de la main d'oeuvre au Québec en 1931, telle que recensée dans l'ouvrage de M. Bédard,[1] révèle au total, au moins 123,000 travailleurs non-payés recrutés parmi les fils de cultivateurs et les ouvriers agricoles!

Les autorités financières et gouvernementales vont s'efforcer de fournir à l'agriculture des **"revenus compensatoires"**. Par exemple, l'expansion de l'industrie du bois offre des emplois en forêt. En 1933, au moins 75% des bûcherons sont issus de la ferme[2]. Les salaires sont aussi bas que ceux de l'agriculture. Vers les années 1935-40, une loi provinciale va obliger à un salaire minimum de $45. par mois de 26 jours pour les bûcherons de plus de 20 ans. Inutile de dire que le marasme de l'agriculture dans les zones dites frontalières ou "marginales", sert bien les intérêts des compagnies en place, en offrant une main d'oeuvre nombreuse, très bon marché, et soumise parce que sans alternative et sans protection. La pêche constitue aussi un emploi à demi-temps pour les cultivateurs de la Gaspésie et du Saguenay.

1. Bédard, op. cit. p. 131.
2. Haythorne, op. cit. p. 300.

La situation générale de l'agriculture a deux conséquences majeures à long terme: l'exode rural ou l'endettement cumulatif des producteurs. En 1931, le 1/3 des fermes ontariennes rapportent des dettes d'à peu près $16.24 l'acre, alors que le 1/5 des fermes québécoises s'endettent de $23.88 l'acre (valeur moyenne $25.00 l'acre!) [1]. En moyenne, les dettes se situent entre $1,500. et $4,000. par ferme. M. Bédard rapporte qu'en 1927, le fardeau moyen des dettes est d'au moins $2,000. sur 50,000 fermes au Québec.

En réalité, de nombreux services de crédit s'offrent depuis longtemps aux cultivateurs: mentionnons la Caisse d'Économie de Notre-Dame de Québec (filiale de la Société Saint-Vincent de Paul) depuis 1848; les Caisses Populaires Desjardins depuis 1900; la Coopérative Fédérée de Québec offre des services d'approvisionnement depuis 1910. 70% des banques se situent alors dans des districts ruraux. Avec la détérioration objective de la situation des agriculteurs canadiens, et avec l'accroissement des besoins de crédit, les gouvernements fédéraux et provinciaux vont supporter financièrement le secteur agricole à partir de 1927 (Dominion Act) et de 1929 (Canadian Farm Loans Board), mais surtout avec les années 1936 et 39 qui amènent les nouvelles législations du Crédit Agricole (fonds de crédit de $31 millions). Autre indice du rôle de l'État dans sa politique de soutien et de maintien du secteur agricole. Cet aspect fondamental du rôle de l'État dans la production agricole en système capitaliste sera traité plus à fond dans la recherche de Diane Lessard.

4) *Disproportion croissante industrie/agriculture et détérioration de la position de l'agriculture*

Nous avons, je crois, donné suffisamment de précisions pour démontrer notre point de vue. L'agriculture, pendant cette dure période, est en nette perte de terrain: l'amélioration des techniques, de la productivité, n'arrivent pas à contrer les effets désastreux de la crise de 1929 et de la concurrence internationale (blé, produits laitiers, etc...). Les prix des produits agricoles demeurent bas à la veille de la deuxième guerre. L'entassement de la population dans les campagnes aggrave encore la tendance à la baisse du niveau de vie en agriculture. Les salaires des ouvriers agricoles sont à peu près stationnaires, alors que grimpent progressivement ceux de l'industrie. La comparaison des revenus des différents secteurs de production illustre le décalage qui existe entre la condition sociale de l'ouvrier industriel et celle de l'ouvrier agricole.

---

1. Haythorne, op. cit. p. 202.

TABLEAU XVIII

Salaires annuels par secteur économique,
1930-1931

	hommes		femmes
ouvriers agricoles	$ 326	aide-domestique	$253.
pêche et chasse	$ 457	aide à la ferme	$184.
forêt	$ 455		
mines de charbon	$ 817		
construction	$ 881		
industries de toutes sortes	$1,068		

(1) Haythrone, 1960, p. 342

La petite exploitation ne doit sa prolifération qu'à une conjoncture économique particulièrement défavorable. Mais le développement parallèle de l'exploitation agricole intensive, spécialisée, la consolidation des fermes commercialesprès des grands centres, renforcent la disproportion croissante entre les différents types d'exploitation. Cette disproportion se traduit dans le tableau des inégalités de revenu par régions au Québec.

TABLEAU XIX

Revenu agricole par région,
1939, Québec

	Valeur brute de la production	Estimé du total des dépenses	Revenu net estimé
région métropolitaine	$1,210.	$498.	$712.
région intermédiaire	$1,079.	$359.	$729.
région frontalière	$ 670.	$207.	$463.

(1) Haythorne, op. cit. p. 281

Par contre, l'entreprise industrielle ne cesse de se renforcer, d'étendre sa puissance et son autorité sur les autres secteurs de production. Les progrès de la technique, encouragés par la concentration des capitaux, améliorent grandement la productivité. Malgré ces années difficiles à tout égard, l'industrie enregistre au total un bond important du point de vue de la valeur de la production, et le recul absolu de l'agriculture en est d'autant plus frappant.

TABLEAU XX

Valeur de la production dans l'industrie et l'agriculture,
1921 et 1928

	1921	1928
industrie	$1,150,000.	$1,428,000.
agriculture	$1,092,000.	$ 742,000.

(1) Haythorne, op. cit., p. 493

Nous savons que l'industrie se releva assez vite du marasme de 1929, contrairement à l'agriculture qui supporta tous les coûts économiques de la crise. Mais il faut attendre l'impulsion extraordinaire donnée par la deuxième guerre mondiale, pour voir s'amorcer une véritable reprise économique au Canada, du moins sur le plan industriel. La guerre a aussi comme conséquence de vider les campagnes au profit de l'armée et de l'industrie. On ne saurait trop insister sur les relations étroites qui existent entre le **militarisme** et le **capitalisme**: l'histoire nous en fournit de nombreux exemples. Des analyses précises à cet effet seraient fort judicieuses.

En guise de conclusion pour cette période, nous empruntons encore au livre de M. Haythorne un bilan tout-à-fait éclairant des principales tendances qui s'affirment entre les deux secteurs de production agriculture/industrie.

TABLEAU XXI

Indices des prix et revenus,
1913-1940

Année	revenu		taux de salaire		prix de vente		coût de la vie	
	à la ferme	autres	travail agricole	indice moyen	produits agricoles	produits manufacturiers	ville	campagne
1913				53	64	65	65	66
1914			40	54	70	66	66	68
1915			42	54	78	71	67	72
1916			50	59	90	85	73	78
1918			112	81	133	128	97	111
1920			141	115	161	156	124	144
1926	100	100	100	100	100	100	100	100
1928	113	115	100	100	101	95	99	98
1930	55	107	85	101	82	87	99	94
1932	20	77	46	93	48	70	81	81
1934	36	74	44	91	59	73	79	81
1936	54	86	54	96	69	74	81	81
1938	58	94	60	106	74	78	84	84
1939	69	97	64	107	64	75	83	82
1940	70	103	72	111	67	82	88	88

(1) Haythorne, op. cit. p. 492

Là, nous distinguons avec précision la dégradation absolue des conditions de vie de l'agriculteur. En effet, la baisse des revenus agricoles est beaucoup plus forte que celle des revenus non-agricoles, alors que la baisse du coût de la vie (reproduction de la force de travail) est égale à la campagne et à la ville. Si on note que l'indice 100 pour 1926 ne signifie pas que les revenus agricoles et autres sont égaux, mais que 1926 est pris comme base de calcul, avec les inégalités de revenus qui existent à ce moment-là, on peut voir que la rémunération de la force de travail agricole, faible au départ (1926), ne fait que se détériorer absolument, et relativement aux salaires industriels pendant la crise.

1964: Salon national de l'agriculture '64 au Palais du Commerce.
La concurrence capitaliste dans l'agriculture pousse les cultivateurs à s'endetter de plus en plus par l'achat de machinerie coûteuse et trop vite dépréciée. Les compagnies multinationales, Ford, Chrysler, Massey-Ferguson, etc... tirent un profit immense de cette situation.

La CIP à la Tuque. 1965.
Les monopoles au Québec: des puissances financières et politiques. Les cultivateurs au Québec ne comptent plus maintenant que pour 5% de la population globale.

CHAPITRE IV

LA SITUATION CONTEMPORAINE

1940-1974

A - GUERRE APRÈS GUERRE

1) La guerre: levier économique du capitalisme

L'impact économique qu'a provoqué la deuxième guerre mondiale est différent selon les secteurs de production; la conjoncture économique n'est plus celle des années 1914. Ici, l'industrialisation a pris les devants, et l'effort de guerre va lui fournir encore une plus grande impulsion. L'agriculture elle, souffre de la hausse des prix dans le domaine industriel. Déjà en 1939, elle se trouve dans une passe difficile: la machinerie commence à dater, les engrais manquent pour une meilleure productivité, des dettes de plus en plus lourdes accablent les producteurs. Le gouvernement a encouragé, en vue de la guerre, la surproduction de nombreux produits agricoles dont le blé et le fromage. À ces éléments s'ajoute bientôt une autre pénurie de main d'oeuvre agricole: la guerre vide les campagnes soit pour la production industrielle, soit pour l'engagement militaire. Le gouvernement doit à nouveau soumettre des projets d'approvisionnement en force de travail: on recrute des adolescents de 15-16 ans. Les salaires agricoles montent peu à peu après 1940, surtout en Ontario (25%) où le besoin est grand de rendre le secteur agricole compétitif sur le plan de l'emploi.

À partir de 1940, toutes les énergies sont mises du côté du développement des industries. Par exemple, la production d'acier augmente de 120% entre 1939 et 1942; les explorations du Québec-Labrador débutent en 1938. C'est après la guerre que se fonde la Iron Ore Co. of Canada, filiale de la M.A. Hanna Mining Co. of Cleveland et de quelques aciéries américaines (National Steel). On note aussi une exploitation intensive des autres métaux (cuivre, nickel, aluminium...) et particulièrement du pétrole, exploitation qui ne cessera de s'amplifier. La hausse de la production manufacturière s'applique surtout à la fabrication des outils, d'appareils électriques, de produits chimiques. Finalement, le P.N.B. s'accroît de plus de 100% entre 1939-45, et pour la première fois, l'industrie dépasse l'agriculture comme source d'emploi [1].

---

1. Bonin, op. cit. p. 89.

L'agriculture est déjà partie d'un mauvais pied. À cause du développement industriel, la tendance à la hausse des coûts de production est en cours. Les prix des biens de production et ceux des biens de consommation venant de l'industrie augmentent plus vite que ceux des produits agricoles. Les cultivateurs, sous la poussée des progrès de la mécanisation, cherchent à améliorer la productivité de la ferme. Mais les prix des produits agricoles demeurent au-dessous de leur valeur, c'est-à-dire que la force de travail agricole demeure sous-rémunérée par rapport au temps de travail investi dans la production et par rapport à la valeur sociale, moyenne, de la force de travail canadienne. Les producteurs ne réussissent qu'à alourdir leur charge en capital, à s'endetter de plus en plus.

La production agricole doit se réorienter face à la demande internationale: on axe la production de guerre en fonction des besoins du Royaume-Uni. Après 1940, le Danemark et la Hollande sont fermés comme marchés d'approvisionnement. Le Canada devient encore une fois le pourvoyeur officiel en bétail (boeuf, mouton, porc), fourrages, produits laitiers. Cette nouvelle sélection dans la production favorise certains produits au dépens des autres: par exemple, alors que les produits laitiers et le marché des viandes prospèrent, les fruits et le blé déclinent. On aboutit à une curieuse situation dans l'ouest. L'année 1940 connaît le plus gros surplus de blé au Canada, et le gouvernement décide de diversifier la production agricole de l'Ouest en encourageant l'élevage et la production laitière! Pour compenser les pertes en blé, on stimule l'élevage du porc (le "bacon boom"). En Alberta en 1942, les revenus provenant de la vente de porc dépassent ceux du blé. Après la guerre, on revient évidemment à la production de blé: un bon exemple de planification capitaliste... Comme résultat, la population diminue de façon absolue dans l'Ouest: de 1941 à 1953, elle décroît de 4% en Saskatchewan [1]. Dans l'Est au contraire, les gouvernements fédéraux et provinciaux subventionnent la production laitière de façon à respecter les accords d'échanges du fromage avec le Royaume-Uni. Soulignons à nouveau le rôle prépondérant de l'État dans le contrôle de la production agricole: il s'arroge de plus en plus un rôle de régulateur face à la surproduction et au "contrôle" des prix.

Pendant la guerre, la part des investissements étrangers en provenance des États-Unis atteint 70%, ceux du Royaume-Uni 25%. Mentionnons quelques domaines dans lesquels les américains sont fortement implantés, en grande partie grâce à la collaboration du gouvernement Duplessis: l'industrie de la pulpe et papier; l'électricité au Québec; l'exploitation du fer; la production de l'aluminium; la production du tabac; celle de l'amiante (Canadian Johns Manville et Asbestos Corporation).

Le progrès industriel a un effet important sur le développement des des rapports de classe. Les syndicats doublent leurs effectifs après la IIe guerre. Anxieux d'éviter les troubles dans le monde du travail, le gouvernement passe des législations favorisant son contrôle sur la principale organisation de classe des travailleurs (ex.: formule Rand).

---

1. Easterbrook, op. cit. p. 495.

2) L'après-guerre

En 1946, l'Angleterre n'a plus sa place parmi les très grandes puissances mondiales. La guerre l'a définitivement épuisée, et un programme d'austérité s'instaure pour rétablir les finances. D'ailleurs B. Bonin remarque qu'au Canada, les sorties de capitaux des années de guerre s'expliquent par les avances que le gouvernement canadien a consenties à l'Angleterre. Les dirigeants libéraux de cette époque (St-Laurent) réclament un relâchement des liens du Commonwealth. Suite aux pressions politiques des pays du Commonwealth (les anciennes colonies), le Royaume-Uni accorde en 1948 une transformation des rapports au sein du Commonwealth: les partenaires sont officiellement "égaux", ce qui illustre la volonté d'autonomie de la bourgeoisie capitaliste des pays industrialisés comme le Canada.

L'issue finale de la IIe guerre mondiale a transformé encore une fois les rapports de force mondiaux entre les puissances impérialistes. À côté du géant américain qui s'accapare la plus grande part du gâteau dans le partage des "zones d'influence" mondiales, une autre puissance capitaliste, masquée sous sa couverture "socialiste", l'URSS (où une véritable bourgeoisie du parti et de l'État s'est installée à la tête du pays pour rétablir le capitalisme sur toute la ligne [1]), s'oppose à l'expansion américaine et cherche à rattraper son rival. Plus important encore pour l'avenir des luttes de libération du Tiers-Monde sera la victoire de la révolution socialiste chinoise en 1949. Pendant la guerre, les États-Unis ont fourni un effort colossal à la production. En réalité, ils ont assumé 21% du coût total de la guerre. Dans le monde sortant des ruines de la guerre, l'impérialisme américain réussit à installer largement sa domination et à freiner le processus de libération des prolétaires dans le monde entier (intrigues militaires et diplomatiques, attentats, terreur, occupations armées...). Pour remonter l'économie capitaliste, les USA sont forcés de reconstruire l'Europe et le Japon (Plan Marshall, OTAN, NORAD). C'est l'époque de la "guerre froide", du Mc Carthysme. L'intervention économique en Europe, le soutien massif aux régimes réactionnaires de Formose, Corée du Sud etc... la pénétration et la subversion en Asie, Amérique latine et au Moyen-Orient, sont les manifestations de l'extension continue de l'hégémonie américaine durant les dix-quinze années après la guerre.

L'impérialisme américain fomente lui-même les ferments de sa chute: premièrement, au début des années 60 la reconstruction rapide du capitalisme dans les pays d'Europe et du Japon place ces derniers dans une certaine position de concurrence avec les U.S.A.; deuxièmement, l'URSS se développe de plus en plus en super-puissance agressive qui contrecarre activement l'expansion américaine; troisièmement , l'exploitation des pays sous-développés provoque la montée des luttes de libération dans le monde (ex.: Cuba, Viet-Nam).

---

1. voir **Les luttes de classe en URSS**, de C. Bettelheim

Sur le plan économique en 1950-60, les États-Unis constituent le principal **centre** du développement capitaliste dans le monde; il existe une division du travail de la production entre pays dominants et dominés, les industries les plus productives se regroupant au centre. Notamment, c'est après la guerre que s'opère le développement mondial des grands trusts électroniques (IBM) et des trusts des communications (ITT). Sur le plan de l'économie mondiale, la production de 1948 ne fait qu'égaler celle de 1939. Après cette récession, la **Guerre de Corée** de 1949 ramène un taux élevé d'accroissement du P.N.B. en Amérique du Nord. La hausse des prix est très marquée à partir de 1951. La guerre de Corée se termine en 1953 en amenant avec elle une récession importante. Face à la concurrence inter-impérialiste et aux luttes de libération du Tiers-Monde qui commencent à ébranler l'hégémonie américaine, les USA cherchent à consolider certains bastions. Le Canada apparaîtra donc comme un pays privilégié où une certaine collaboration avec la bourgeoisie canadienne favorisera les intérêts américains. Les années 1950-60 au Canada connaissent une entrée massive de capitaux étrangers, à un rythme analogue à celui de la période 1900-1913. Nous nous efforcerons d'analyser le pourquoi de cette tendance, de même que les transformations vitales qui se produisent dans l'organisation économique du Québec, plus spécialement.

B - L'IMPÉRIALISME AU QUÉBEC

1) *Caractéristiques de l'impérialisme américain au Québec*
Depuis les années 1950 il s'est produit au Québec une transformation et une intensification des rapports de domination par l'impérialisme américain. Nous allons essayer de démontrer en quoi cette évolution correspond à une stratégie mondiale d'implantation du capital [1], et aussi s'articule à une conjoncture politique, économique et sociale spécifique au Québec.

1) L'impérialisme au Québec se manifeste surtout sous la forme d'**industries d'extraction de matières premières**. Depuis 1935, cette tendance ne s'est pas démentie. Après la deuxième guerre, les monopoles américains renforcent leur contrôle sur les industries d'exploitation des matières premières, sans doute en réponse au fameux rapport Paley aux États-Unis. En effet, ce rapport, datant de 1952, a pour mission de planifier les besoins de l'industrie en matières premières requises pour les années 1970. La commission gouvernementale sonne l'alarme quant aux ressources du territoire américain et fait le point de la dépendance extérieure face à ces ressources. Le Québec apparaît comme une sorte de terre promise, non exploitée à sa "juste mesure".

2) La contribution des **sources canadiennes de capitaux** à la croissance annuelle du financement des filiales américaines ne fait qu'augmenter avec les années; de 1965 à 1969 elle passe de 28 à 73%!! [2]

---

1. voir aussi à ce sujet Lénine: L'Impérialisme, stade suprême du capitalisme.
2 Rapport Gray, sur la maitrise économique du milieu national, p. 49.

TABLEAU XXII

Sources de fonds ayant servi au financement des filiales
américaines au Canada: 1957-1964

Fonds en provenance des Etats-Unis (%)		Sources canadiennes		
Année		Profits réinvestis	Amortissement	Autres sources canadiennes
1957	26	35	26	13
1958	25	32	30	14
1959	20	39	30	11
1960	21	45	35	-1
1961	13	41	34	12
1962	10	43	32	15
1963	8	45	33	14
1964	5	49	30	17
1965	21	32	25	22
1966			N.D.	
1967	10	37	32	21
1968	5	39	33	23

(2) St-Onge, op. cit. p. 229

Les énormes masses de profits exportés aux États-Unis sont tirées des investissements canadiens aux entreprises américaines! Supercherie magistrale: le rapport Gray déclare qu'entre 1960 et 65, au moins 60% des capitaux servant à financer l'extension de la main-mise étrangère sur l'économie canadienne proviennent du Canada même. On a recours à ces sources de financement par des émissions de valeurs, par les prêts et subsides gouvernementaux, par le réinvestissement partiel des profits opérés ici. Ces soi-disants investissements "étrangers" (au sens de la loi) ont doublé de 1854 à 1963. La Valeur comptable de ces investissements étrangers au Canada s'est accrue de 24.5 milliards depuis la deuxième guerre, les U.S.A. comptant pour à peu près 85% de cette somme. Par exemple, en 1962, les placements américains à l'étranger se chiffrent à $56 milliards dont $11.8 milliards au Canada [1]. Le Canada est vraiment une terre de prédilection pour les impérialistes américains: dans les années 60 on investit,

1. Barbeau, La Libération économique du Québec, p. 56.

au Canada, 3 à 4 fois plus qu'en Amérique latine. Pour ce qui est des profits maintenant, nous savons que ceux-ci ont **triplés** au Québec entre 1942 et 1959. Alors que pour la même période (1950-67), le taux des investissements américains reste relativement stable, témoignant par le fait même du haut degré d'auto-financement des filiales américaines, le rapatriement des profits et dividendes lui s'effectue dans une progression constante.

TABLEAU XXIII

Mouvement net en faveur des U.S.A.: 1946-1968
Un signe (-) représente une sortie de capital
vers les U.S.A. (millions de $)

Année	Flux net en provenance des U.S.A.	Capitaux rapatriés aux U.S.A.	Mouvement net
1946	- 9	- 276	-285
1947	24	- 319	- 295
1948	83	- 320	- 237
1949	107	- 397	- 290
1950	219	- 490	- 271
1951	317	- 474	- 157
1952	442	- 410	- 32
1953	346	- 395	- 49
1954	366	- 415	- 49
1955	419	- 469	- 50
1956	877	- 544	- 333
1957	676	- 609	- 67
1958	592	- 617	- 25
1959	578	- 641	- 63
1960	622	- 623	- 1
1961	777	- 716	- 61
1962	363	- 716	- 353
1963	348	- 752	- 404
1964	234	- 891	- 657
1965	544	- 1,035	- 491
1966	871	- 1,190	- 319
1967	730	- 1,318	- 588
1968	505	- 1,364	- 859
TOTAL	10,031	-14,981	-4,960

(1) St-Onge, op. cit. p. 230

TABLEAU XXIV

Sortie nette de capital en faveur des U.S.A.
1946-1968

	Canada	Québec (part du Q = 1/4)
Paiements faits aux U.S.A. reflux des profits	$14,981,000,000.	$3,745,000,000.
Investissements directs U.S.A.	$10,031,000,000.	
Sortie nette de capital	$ 4,950,000,000.	$1,200,000,000.

(1) St-Onge, op. cit. p. 230

Entre 1960 et 1969, le Manifeste de la C.S.N. nous révèle que pour $5.5 milliards d'investissements directs au Canada, les Américains ont retiré $8.1 milliards en profits! [1].

3) La rentabilisation des capitaux investis requiert une **meilleure organisation de l'infrastructure économique,** la rationalisation de la production c'est-à-dire produire au plus bas coût, la **modernisation des équipements.**
Premièrement, l'accès aux sources d'énergie est de première importance pour l'industrie: le Québec possède la moitié des ressources énergétiques de tout le pays. L'électricité à bon marché est souvent un facteur décisif de l'installation de certaines industries comme l'aluminium. Le gouvernement canadien va assumer les frais de mise sur pied et d'opération des barrages hydro-électriques, alors que la majorité de la production énergétique est exportée à bas prix dans l'état de New-York. Quant au Québec, Mario Dumais démontre aisément que le consommateur québécois a toujours supporté une plus grande part du coût de l'électricité, permettant ainsi de vendre à meilleur compte aux industries [2]. L'État québécois est un fidèle serviteur des monopoles.
Deuxièmement, le développement de l'industrie d'extraction nécessite un bon réseau de transport. Le projet de réaménagement de la voie maritime (1955) en est un bon exemple. Ce projet conjoint Canada-U.S.A. vise à ouvrir la voie maritime à la circulation de bateaux plus larges.

1. CSN, Ne comptons que sur nos propres moyens, p. 17
2. Dumais, Étude sur..., p. 26.

En réalité qui ce projet favorise-t-il? Plus de 50% du tonnage de la voie maritime transporte le fer de l'Iron Ore (Sept-Îles) vers les ports américains qui les acheminent vers les centres de transformation (Cleveland, Buffalo, Pittsburg). Le transport du blé canadien vers les U.S.A. en constitue aussi une bonne part. Dans quelle mesure a-t-on réparti les coûts de la construction? Le Canada défraye plus de 2 1/2 fois la part américaine: $189 millions contre $72 millions!! . Donc, le pays économiquement dominé subit les charges en capital de sa propre exploitation.

Par ailleurs, la modernisation des plans et les améliorations technologiques que permet la concentration des capitaux (réduction des coûts de production, subventions à la recherche) profitent encore aux monopoles. Le rapport Gray rapporte qu'environ 95% des brevets émis au Canada sont inscrits au nom de propriétaires étrangers dont les 2/3 sont américains . Les progrès techniques que monopolisent les grandes entreprises leur assurent une forte productivité du travail. Le rapport Gray dévoile que dans un même secteur d'opération, le **taux de profit** des compagnies à contrôle étranger est toujours plus élevé que celui des compagnies canadiennes.

4) L'**apparition d'un nouveau secteur industriel** au Québec (ex. sidérurgie, secteur à moyenne et forte composition du capital peut faire croire à un progrès du point de vue de l'autonomie et de la maturité du développement économique). Il est vrai que cette apparition souligne une transformation évidente de la structure industrielle, un progrès certain dans le sens capitaliste du terme, mais elle ne supprime pas l'ancienne division du travail entre pays producteurs de matières premières et pays industriels. Il demeure que seulement 10 à 15% des exportations du Québec sont constituées de produits industriels finis ou semi-finis, particulièrement des produits de l'industrie de guerre. Le Québec ne fait que sortir de la dépression, il abandonne une économie de subsistance (temps de la crise) pour mieux remplir son rôle de pays exportateur de matières premières. Selon Van Schendel , l'édification d'un secteur subalterne de moyens de production dans les économies "dominées" accentue la main-mise du capital dominant sur l'industrie des matières premières; de fait elle tend à intégrer les principales entreprises exportatrices de matières premières au secteur monopolisé et à ses pratiques internationales. L'analyse plus approfondie de ces nouveaux développements industriels en pays "dominés" indique généralement l'apparition d'activités industrielles rejetées par le monopolisme du centre, et insufflées de l'extérieur. La question ici soulevée est très complexe et demanderait plus qu'un paragraphe anecdotique. De plus, la notion de domination, et le concept théorique du centre capitaliste et des périphéries nous semble assez critiquable, car ces notions réduisent à zéro l'activité économique de la bourgeoisie des pays industrialisés (ex. le capital monopoliste canadien). En éliminant aussi le caractère dialectique, vivant et essentiel, des contradictions inter-impérialistes, ces notions se rapprochent dangeureusement de la thèse en super-impérialisme de Kautsky,

si justement critiquée par Lénine [1]. En effet, la théorie de l'ultra-impérialisme brise résolument avec le marxisme: elle encourage l'idée qu'au stade monopoliste, la domination du capital financier atténue les inégalités et les contradictions de l'économie mondiale (donc présage un passage pacifique ou "socialisme"), alors qu'en réalité elle les renforce.

5) L'industrialisation au Québec comme dans toute formation sociale capitaliste, revêt un caractère de centralisation: plus de la moitié des activités économiques de la province se regroupent autour de Montréal, accentuant ainsi les problèmes de la **"régionalisation"** de la production, l'isolement et le retard des régions délaissées. Le Québec face à l'Ontario se situe dans un rapport analogue: l'écart entre les deux s'accroît constamment.

6) Les progrès financiers des monopoles américains au Québec amènent nécessairement l'**élimination de la petite entreprise canadienne-française**. Mais le capital international ne cherche pas automatiquement à s'accaparer tous les secteurs d'une économie nationale; au Québec on assiste plutôt à une fusion de bourgeois québécois à la bourgeoisie canadienne qui intègre financièrement les secteurs économiques traditionnellement "laissés" à la moyenne bourgeoisie québécoise (secteurs à composition organique du capital faible ou moyenne). Par ailleurs, la bourgeoisie canadienne connaît une certaine concentration monopoliste comme en fait foi la création de "holding" tels que Power Corporation Argus Corporation, CPR-Cominco, et le groupe Noranda.

7) La dernière tendance que nous voulons relever regarde le **rôle nouveau de l'État** comme gérant du capital. Le développement rapide des monopoles nécessite de la part de l'État une certaine planification. Il y a encore, selon l'expression de Marx, planification dans l'usine, anarchie dans la société. Mais avec le Capitalisme Monopoliste d'État, on assiste à un élargissement de la base sociale du capital. L'État aménage plus efficacement les services nécessaires à la mise en valeur du capital sans pour autant éliminer l'anarchie créée par la recherche du profit. Ce mouvement se concrétise de différentes façons. Le Québec a besoin de réformes pour mieux s'ajuster au rôle que lui assigne l'impérialisme: de nombreux services publics doivent être mis sur pied; le capital a besoin d'une force de travail qualifiée, de producteurs et de consommateurs modernes.

D'une part donc, l'État multiplie ses interventions dans le domaine économique: nationalisation des centrales électriques, amélioration des réseaux de transport sous toutes ses formes, des réseaux de distribution du gaz et de l'électricité, du téléphone, tentatives de planification dans le secteur public...: tous des facteurs susceptibles d'activer le développement industriel. La création de la Société Générale de Financement, du Conseil d'Expansion Économique, des Programmes de Planification Régionale, répond à ces exigences générales. L'État sert de ferment à la réorganisation et à l'expansion de l'industrie.

---

1. Lénine, L'impérialisme...

D'autre part, L'État devient responsable des conditions de reproduction de la main d'oeuvre et de son ajustement aux besoins de l'industrie, d'où les réformes dans les domaines de l'enseignement, de la santé, de l'assurance sociale, etc...

Ces nouvelles exigences du développement du capitalisme se traduisent au Québec par un **gonflement du secteur des services**: la multiplication des agents liés à l'organisation-planification, au contrôle financier, à la distribution de la marchandise, et aux activités connexes (assurances, immeuble...). Après la deuxième guerre mondiale, 45% de la population active est engagée dans le secteur des services; en 1965 leur nombre atteint 54% du total. Et en 1961, la part de ce secteur équivaut à 59% du P.I.B. contre 50% en 1946 [1].

En somme, nous constatons maintenant que le Québec a diversifié sa structure industrielle, et s'articule ainsi mieux à l'évolution de l'impérialisme. Néanmoins, il demeure fondamentalement dominé, exploité, et sa structure industrielle est restreinte à des activités économiques très spécialisées, souvent délaissées par le grand capital.

2) La production industrielle d'après-guerre au Québec
a) Évolution de la production

Les progrès les plus marquants de cette période se réalisent, nous l'avons dit, dans l'industrie d'extraction de matières premières. Commençons par les mines qui enregistrent sans conteste, l'accélération la plus foudroyante. Ces chiffres globaux, pour le Canada, nous indiquent une progression rapide: 1939: $452 millions; 1949: $928 millions: 1950: $953 millions: 1952: $1,130 millions [2]. L'Ontario revendique 34.3% de la valeur totale produite. Pour le Québec, le changement est encore plus radical. En 1954, la co. Iron Ore commence ses opérations sur la Côte Nord et bientôt le Canada devient un des plus gros exportateurs de fer au monde. Un peu avant 1946, le cuivre de Murdochville commence à être exploité; en 1950, on découvre des réserves de cuivre à Chibougamau. Le tableau sommaire tiré de l'étude de B. Bonin compare l'évolution de quelques branches de la production industrielle.

1. Bonin, op. cit. p. 97.
1. Easterbrook, op. cit. p. 536.

TABLEAU XXV

Valeur des expéditions des usines:
1946 et 1953

Industries	Pourcentage d'augmentation de 1946 à 1953	établissements à contrôle américain sélectionnés en pourcentage du total	
		1946	1953
Métaux non-ferreux	191	53	56
Minéraux non métalliques	176	38	46
Fer et produits	198	29	39
Produits chimiques et connexes	135	32	39
Industries manufacturières diverses	131	20	20
Bois et papier	126	15	19
Ensemble de l'industrie manufacturière	121	22	30

(1) Bonin, op. cit. p. 250

P.S. Toujours tenir compte des restrictions d'ordre théorique émises au sujet du calcul du taux de contrôle étranger.

La prospérité de l'Alcan au Québec est déterminée en bonne partie par la production massive de l'électricité, et le Québec est, ne l'oublions pas, le premier pays du monde pour la production d'énergie électrique par personne. Depuis la guerre, avec le développement de l'industrie américaine de l'aéronautique, l'aluminium connaît une forte demande: en 1939 sa production égale 165 millions de livres, en 1945, elle est de 431 millions de livres! À partir de 1957, le Québec en est le deuxième plus gros producteur au monde.

Du point de vue de la valeur de la production, l'industrie des pâtes et papiers l'emporte toujours. En 1959, elle réalise 39% du total de la valeur de la production canadienne. Dès 1900, il était clair que la production américaine de pulpe et papier serait insuffisante; aussi voit-on maintenant 90% de la production totale canadienne exportée aux États-Unis. C'est un secteur hautement monopolisé et controlé majoritairement, par des intérêts américains. La production canadienne de pulpe est passée de 1,960, 102 tonnes en 1920, à 9,077,063 tonnes en 1953[1]. Comme l'électricité, le pétrole brut est une source énergétique fortement exploitée. Au Canada, la production atteint 60.9 millions de barils en 1962 contre 8.5 en 1945. De 1945 à 1953, le 1/3 de l'accroissement des investissements américains est dû au secteur pétrolier. Quant à la production manufacturière en général. Bédard cite quelques chiffres qui nous en indiquent l'évolution gigantesque: la valeur de la production montait au Québec à $604 millions en 1933; en 1951 elle atteint $4,916 millions [2]. Les statistiques nous apprennent qu'entre 1953 et 1961, 70% des investissements américains au Québec se sont répartis dans les secteurs suivants: pétrole 41%, mines 21%, pâtes et papier 5%. Ce qui nous renseigne sur les priorités d'exploitation de l'impérialisme américain. En 1967, si on considère les exportations québécoises, on réalise que 56% de la valeur provient de deux secteurs: l'industrie métallurgique primaire y est pour 30.3%, le papier pour 25.7% [3].

Certaines distinctions de branches du secteur industriel sont arbitraires et imprécises. Néanmoins, elles constituent, à défaut de mieux, des points de repère utiles. Ainsi, les statistiques nous apprennent qu'en 1961 au Québec, en dépit de la régression de l'industrie légère, celle-ci demeure prépondérante face aux autres branches industrielles:

TABLEAU XXVI

Part des expéditions par type d'industrie au Québec, 1961

Type d'industrie	Part des expéditions
"industries liées aux richesses naturelles"	27%
"industrie légère" (biens de consommation)	43%
"industrie lourde" (à technologie avancée)	30%

(1) Dumais, Etude... p. 220

1. Easterbrook, op. cit. p. 538.
2. Bédard, op. cit. p. 159.
3. St-Onge, op. cit.

La répartition de la main d'oeuvre en 1970, telle que présentée par Van Schendel [1], spécifie davantage le caractère réel de l'industrialisation au Québec:

trois catégories majeures:
a) une partie numériquement forte et relativement stable de la main d'oeuvre va à des productions dont certaines sont fortement mécanisées, du secteur des **biens de consommation.** À cause de la faiblesse des investissements initiaux, les industries sont concurrentielles.
b) Une fraction demeure mobilisée par les industries "labour using" traditionnelles (secteur encore assez important, textile, vêtement, etc...). Concurrence internationale, et bas salaires.
c) L'enflement des services non-productifs ne fait que camoufler un chômage chronique.

b) Le contrôle américain

À ce propos, les données sont souvent contradictoires; cela tient à la définition tout-à-fait superficielle que l'on se fait du "contrôle étranger". Nous rappelons les corrections déjà énoncées à ce sujet. Nous citons le rapport Gray uniquement à titre de référence globale. On s'entend généralement pour dire que les "Canadiens" demeurent maîtres dans les domaines du meuble, de l'imprimerie, du cuir, du bois, des aliments et boissons, des textiles et vêtements... Là encore, rien ne semble moins sûr. Une récente enquête dans Québec-Presse (édition du 7 janvier 1973) révélait que l'industrie alimentaire au Québec est totalement dominée par les trusts américains et britanniques (en moindre part). Des recherches semblables dans les autres secteurs aboutiraient sans doute à des conclusions similaires.

Quant à l'industrie manufacturière du Québec, on accorde "en moyenne" 60% de contrôle étranger. En ce qui concerne le secteur minier, les évaluations varient de 60 à 80%. Le rapport Gray [2] remarque que la taille moyenne des entreprises contrôlées par l'étranger est plus de 6 fois plus grande que celle des firmes contrôlées par des Canadiens. Aussi, il ne faut jamais se baser sur le pourcentage des entreprises contrôlées par "l'étranger" par rapport au nombre total d'entreprises dans un secteur, car nous éliminons ainsi l'élément concentration des monopoles. Par exemple, dans les mines, les entreprises étrangères ne constituent que 11.4% du total. Il faut plutôt prendre en considération l'actif investi, ou la valeur de la production, ce que certains négligent de faire.

Par ailleurs, le Rapport Gray, toujours "prudent" dans ses allégations, décerne plus de 80% de contrôle étranger dans les secteurs suivants: dérivés du caoutchouc, matériel de transport, tabac, industrie chimique. Nous énumérons d'autres sources pour que le lecteur se rende compte à quel point sont contradictoires ces données.

---

1. Van Schendel, op. cit. p. 208.
2. Rapport Gray, op. cit. p. 91.

TABLEAU XXVII

Manufactures - Principales industries du Québec, 1959

Industries	Établissements	Employés	Salaires et gages	Coût des matières premières	Valeur brute des produits
	No	No	$	$	$
Pulpe et papier	54	27,239	131,913,007	243,062,727	585,233,081
Fonte et affinage des métaux non fer-reux	11	10,476	52,245,438	368,014,212	538,922,346
Produits du pétrole	7	2,775	16,289,759	282,756,426	371,207,394
Abattoirs et salaisons	52	5,831	23,619,040	194,348,701	245,958,467
Tabac, cigares et cigarettes	15	7,171	28,240,305	97,163,759	182,802,251
Confection pour femmes	400	17,137	46,796,381	98,323,941	181,618,664
Appareils et accessoires électriques divers	49	13,561	58,545,172	81,665,503	181,018,934
Beurre et fromage	490	5,074	15,369,976	123,392,946	157,702,047
Filés et tissus de coton	20	12,222	36,093,951	93,479,391	148,912,331
Avions et pièces	26	15,137	69,058,615	48,778,056	142,746,128
Confection pour hommes	288	14,571	38,300,482	83,320,489	141,852,048
Matériel roulant de chemin de fer	5	9,161	37,198,383	71,759,139	115,609,804
Acides, alcalis et sels	17	4,447	22,620,057	48,854,238	110,976,612
Meubles	623	11,675	35,440,163	52,351,598	110,186,411
Préparations alimentaires diverses	82	3,025	10,661,522	67,353,036	100,090,942
Textiles synthétiques et soie	34	9,580	30,392,528	54,160,680	103,244,961
Boîtes et sacs en papier	72	5,980	19,757,449	61,879,829	99,367,904
Pain et autres produits de boulangerie	881	10,710	30,134,823	47,031,587	98,540,158
Machinerie industrielle	67	7,196	29,683,639	40,423,348	96,080,907
Chaussures en cuir	143	12,268	29,845,699	46,139,176	89,631,767

Tôlerie	113	4,962	21,296,469	44,034,965	88,894,219
Aliments préparés pour bestiaux et volaille	331	2,285	6,964,602	68,972,243	84,876,299
Scieries	1,266	7,963	18,969,683	52,763,396	84,822,528
Impression et édition	80		31,602,929	24,758,005	82,374,420
Acier de charpente, ponts...	16	5,215	24,231,519	34,958,368	78,205,292
Préparations médicales et pha- maceutiques	85		15,323,300	23,113,319	76,376,675
Impression et reliure	602	7,889	29,477,214	27,800,923	75,939,368
Produits chimiques divers, n.s.é.	84	5,654	23,099,258	37,952,715	75,038,298
Produits du cuivre et du laiton	37	2,566	11,105,847	44,264,939	67,066,425
Eaux gazeuses	181	2,710	9,697,939	18,208,233	65,703,039
Brasseries	5	2,484	12,966,005	16,851,336	65,558,841
Fer et acier primaires	15	3,742	16,809,969	23,262,716	64,162,386
Ateliers de rabotage, portes et châssis	664	5,303	14,221,367	37,241,679	62,254,234
Produits du béton	226	3,793	14,347,766	30,851,445	61,566,155
Construction de navires	11	6,036	25,652,221	23,967,342	61,509,090
Articles en caoutchouc y compris chaussures	33	5,748	20,107,969	26,600,503	61,132,161
Confection pour enfants	136	6,296	13,984,660	32,815,175	56,060,262
Distilleries	7	2,034	9,007,935	16,955,998	55,935,997
Tréfilerie	38	3,590	15,125,593	32,118,789	55,768,406
Bonneterie, sauf bas et chaussettes	85	5,517	13,240,454	34,068,248	55,709,811
Total, principales industries énumérées	7,354	298,978	1,107,438,593	2,855,819,070	5,189,155,466
Total, toutes industries	11,584	431,237	1,546,932,670	3,749,731,529	8,916,199,594

(1) Dumas, Étude... p. 226
(2) Barbeau, op. cit.

TABLEAU XXVIII

*Pourcentage de contrôle américain
dans diverses industries canadiennes en 1958*

Industries	Total estimatif des investissements (en millions de $ canadiens)	Pourcentage du capital utilisé contrôlé par:		
		Canada	États-U.	Autres pays
Automobiles et pièces détachées	382	3	97	-
Caoutchouc	184	2	90	8
Pétrole et gaz naturel	4,980	25	69	6
Fusion et affinage des métaux indigènes non-ferreux	880	35	65	-
Appareils électriques	504	21	65	14
Produits chimiques	993	26	51	23
Autres produits miniers n. s. a.	2,066	41	45	14
Papier et pâte à papier	1,700	45	43	12
Outillage de transport n. s. a.	275	30	25	45
Boissons	435	86	13	1
Textiles	605	80	11	9
Fer et acier primaire	615	75	8	17

(1) Bédard, op. cit. p. 368

TABLEAU XXIX

Propriété et contrôle de certains secteurs de l'économie canadienne en 1958

Secteurs de l'économie canadienne	Pourcentage de capital utilisé appartenant			Pourcentage du capital utilisé contrôlé		
	à des résidents canadiens	à des résidents des E.-U.	à des résidents d'autres pays	par des résidents canadiens	par des résidents des E.-U.	par des résidents d'autres pays
Industrie manufacturière	49 (58)	40 (34)	11 (8)	43 (62)	44 (32)	13 (6)
Pétrole et gaz naturel	36	58	6	25	69	6
Industries extractives	44 (60)	47 (31)	9 (9)	40 (58)	51 (38)	9 (4)
Chemins de fer	71 (43)	10 (18)	19 (39)	98 (97)	2 (3)	-
Autres services publics	86 (73)	12 (20)	2 (7)	95 (74)	4 (26)	1

(1) Bédard, op. cit. p. 363

Le contrôle étranger se manifeste sous différents jours. L'aspect strictement financier n'est pas à dédaigner. Raymond Barbeau [1] affirme que l'influence américaine se fait sentir sur la direction de 70% des actions au Canada. Bernard Bonin [2] spécifie encore: en 1961, les étrangers, par le truchement des entreprises canadiennes qu'ils contrôlent, détiennent 45% de l'investissement direct canadien à l'étranger. Un élément est irréfutable: les Américains possèdent plus de 80% du capital étranger au Québec. En 1972, Claude St-Onge estime la valeur du capital américain investi au Québec à $10 milliards!

TABLEAU XXX

Estimation de l'investissement américain au Québec
(millions de $)

Année	Investissements directs		Autres		Total	
	Canada	Québec	Canada	Québec	Canada	Québec
1953	5,206	1,405	3,662	990	8,868	2,395
1961	11,284	2,710	6,717	1,610	18,001	4,320
1967	17,000	4,335[1]	11,030	2,815	28,030	7,150[1]
1972					41,000	10,000

(1) Évalué à partir de la moyenne des années 1953 et 1961, soit 25.5%.
(2) St-Onge, op. cit. p. 232

De plus, il faut noter le déficit cumulatif de la balance commerciale avec les États-Unis. En 1957, ce déficit atteint un milliard par année! Les importations canadiennes dépassent toujours de beaucoup ses exportations: par exemple en 1958, par rapport à un indice 100 en 1948, les importations se chiffrent à: 168.3 et les exportations à: 130.3. L'endettement international du Canada est passé de 4 milliards en 1945 à 19.3 milliards en 1963 [3].

c) Infériorité croissante du Québec face à l'Ontario

De plus en plus, nous ne pouvons que constater cet écart, au grand désespoir des politiciens québécois. L'explication matérielle de cet état de choses nous est livrée par l'analyse politique et économique des stratégies d'implantation du capital, et aussi par l'analyse historique du rapport de force entre les factions de la bourgeoisie canadienne. Toujours est-il que l'Ontario en 1966, s'accapare 40% de la valeur de la production canadienne,

1. Barbeau, op. cit. p. 55.
2. Bonin, op. cit. p. 105.
3. Bonin, op. cit. p. 98.

contre 26% pour le Québec. La supériorité technique des entreprises ontariennes s'illustre ainsi: l'ouvrier ontarien produit toujours plus par heure que l'ouvrier québécois. Les seuls secteurs où la marge favorable à l'Ontario diminue sont ceux du textile et du bois. Cette inégalité se caractérise par le fait que plus du 1/3 des ouvriers d'usine au Québec travaillent encore dans des secteurs à bas salaire, contre 13% en Ontario. Cette infériorité se concrétise au niveau du standard de vie moyen: depuis au moins 1925, le revenu personnel moyen au Québec est inférieur de 28% à celui de l'Ontario. Jean-Paul Rouleau systématise les inégalités de développement selon les secteurs économiques, entre ces deux provinces (Référer au tableau no 31, 108).

Pour l'agriculture, les résultats sont au moins aussi étonnants. Il est temps de revenir plus précisément à notre objet d'étude: nous traiterons maintenant des tendances générales de l'évolution de l'agriculture d'après-guerre. Cette évolution est en tout point conséquente aux progrès du capitalisme dans ce secteur.

C - LES TENDANCES GÉNÉRALES DE L'AGRICULTURE CONTEMPORAINE AU QUÉBEC

Faisons une légère rétrospective. Au début de la deuxième guerre, la production agricole au Québec est encore assez diversifiée, comme en témoigne le bilan de 1941: les récoltes rapportent $119 millions, les animaux $58 millions, la production laitière $55 millions. À la suite des contrats d'échanges de produits laitiers avec la Grande-Bretagne, les paliers de gouvernement subventionnent à grand renfort ce type de production dans l'Est du pays. C'est surtout à partir de ce moment que nous voyons cette branche prendre l'expansion qu'on lui connaît au Québec.

Cependant, avant d'entreprendre l'analyse de l'évolution récente de la production agricole au Québec, il nous faut encore faire le point des inégalités de départ entre les provinces. Tout au long de notre étude, nous nous sommes efforcés de relever les causes de ce phénomène, raisons à la fois politiques et économiques qui expliquent l'exploitation et le retard économique des canadiens-français au sein de la Confédération. En 1942, S. Ryerson [1] mentionne les facteurs principaux qui démontrent le retard du Québec sur l'Ontario, du point de vue du **développement capitaliste dans l'agriculture**.

---

1. **French Canada**, p. 123.

TABLEAU XXXI

Répartition de la valeur globale des investissements selon les secteurs et les types d'investissements, 1948-1959. Québec et Ontario. (En millions de dollars courants)

Secteur et types d'investissements	1948	1949	1950	1951	1952	1953	1954	1955	1956	1957	1958	1959
QUÉBEC												
Industries primaires et constructions	113	122	122	153	191	246	221	242	298	276	245	290
Industries manufacturières	287	264	253	316	360	318	341	406	498	539	461	493
Services publics	257	276	258	327	461	463	420	448	556	734	772	722
Commerce, finance et services communautaires	87	93	113	118	103	140	153	143	177	203	218	270
Sous-total, secteurs économiques	744	755	746	914	1115	1167	1135	1239	1529	1752	1696	1775
Logements	222	232	290	301	293	383	351	466	549	490	562	540
Institutions et gouvernement	193	166	195	278	357	344	384	383	375	412	438	445
Sous-total, secteurs sociaux	415	398	485	579	650	727	735	849	924	902	1000	985
Total, QUÉBEC	1159	1153	1231	1493	1765	1894	1870	2087	2453	2654	2696	2760
ONTARIO												
Industries primaires et constructions	223	255	284	294	289	308	307	373	492	536	401	374
Industries manufacturières	458	397	389	605	701	743	659	664	919	988	786	845
Services publics	366	436	468	540	587	643	606	559	726	1030	989	844
Commerce, finance et services communautaires	165	186	219	239	186	271	311	316	327	369	346	360
Sous-total, secteurs économiques	1212	1274	1360	1678	1763	1965	1883	1912	2464	2923	2522	2423
Logements	300	353	383	409	379	474	575	700	699	708	880	831
Institutions et gouvernement	202	243	277	350	477	426	445	475	563	618	678	734
Sous-total, secteurs sociaux	502	596	660	759	856	900	1020	1175	1262	1326	1558	1565
Total, ONTARIO	1714	1870	2020	2437	2619	2865	2903	3087	3726	4249	4080	3988

(1) Rouleau, op. cit. p. 151-152

TABLEAU XXXII

Inégalités du développement capitaliste dans l'agriculture au Québec et en
Ontario, 1942

	Québec	Ontario
Valeur de la machinerie	$66.4 millions (la majorité déclassée)	$116.7 millions
Nombre de tracteurs (élément déterminant, comme source d'énergie, de la productivité du travail)	2,417	18,993
Valeur des engrais utilisés	$1.3 millions	$2.9 millions
Évolution du travail salarié (indice d'une transformation dans le genre de production): emplois permanents	9,458	18,675
emplois temporaires	35,377	57,564
Revenu à la ferme	$169 millions	$344.8 millions
Pourcentage du total national du revenu à la ferme pour l'agriculture	15.6%	31.8%

En tenant compte de l'énoncé de base sur le retard chronique du
développement capitaliste de l'agriculture au Québec, nous allons tenter de
résumer plutôt succinctement les principales tendances qui se sont
manifestées avec l'évolution de la production agricole.

1) Processus d'expropriation rapide des campagnes

Au début du XXième siècle, plus de 60% de la population totale de la
province est rurale. La crise de 1930 contribue à maintenir un nombre élevé
de dépendants sur la ferme. Mais après 1939-40, le processus
d'expropriation des petits producteurs se déroule à une allure jusqu'alors in-
connue, à cause des progrès sans précédents de l'industrie capitaliste, des
monopoles, et de la concurrence des gros propriétaires agricoles.

Entre 1939 et 1961, 620,000 emplois agricoles disparaissent au Canada pour se fondre dans le secteur industriel. La diminution absolue du nombre des fermes suit un modèle particulier; étant donné les inégalités de développement, toutes ne sont pas éliminées de la même manière.

2) Évolution de la taille des entreprises et intensification de la production

Dans nos statistiques, les fermes sont classées en deux catégories: 1) les fermes commerciales, c'est-à-dire celles dont la valeur de la production dépasse $2,500. par année, et 2) les fermes non-commerciales qui se situent en-dessous de cette moyenne. Du point de vue de la taille des exploitations, il apparaît que 44% des fermes de 3 à 200 acres ont disparu depuis 1930. Alors qu'au Québec, en 1931, on ne comptait pas de fermes dépassant 480 acres, en 1961, on en dénombre 2,500 (en 1971, leur nombre s'est sûrement encore accru)! D'une part, donc, les petits producteurs sont éliminés au profit des plus gros qui entrevoient ainsi la possibilité d'agrandir leur territoire: la moyenne des acres par ferme au Canada est passée de 237 acres en 1941 à 359 en 1961. Au Québec, la moyenne des acres par ferme se chiffre en 1941 à 116.8; en 1961, à 148 acres.

Le Québec, sur ce point, tire de l'arrière face aux autres provinces. C'est ce que démontre le tableau suivant, ordonné d'après la valeur de la production, et non la taille de l'entreprise.

TABLEAU XXXIVa

Nombre de fermes au Québec et au Canada d'après la valeur de la production, 1951 et 1966

	1951				1966			
	Québec		Canada		Québec		Canada	
	nombre	%	nombre	%	nombre	%	nombre	%
fermes commerciales	35,181	26.1%	235,090	38 %	41,961	52 %	276,835	64%
petites fermes	98,953	73.7%	387,309	62 %	38,185	47.6%	152,910	36%
fermes à temps partiel				10.4%				30%

(1) (Recensement du Canada, Agriculture, 1966, B.F.S., p. 23)

TABLEAU XXXIVb

Nombre de fermes par classes économiques, Canada, 1951, 1961, 1966 (détail)

	1951			1961			1966		
	Nombre	% toutes les fermes	% toutes les ventes	Nombre	% toutes les fermes	% toutes les ventes	Nombre	% toutes les fermes	% toutes les ventes
Fermes commer-ciales	235,090	38	78	259,037	54	90	276,835	64	95
$10,000. et plus	21,243	4	22	49,841	10	45	95,032	22	65
$ 5,000. à $9,999.	69,019	11	27	90,419	19	27	96,856	22	22
$ 2,500. à $4,999.	144,828	23	29	118,777	25	18	84,947	20	9
Petites fermes	387,309	62	22	221,052	46	10	152,910	36	5
Toutes les fermes	623,091	100	100	480,903	100	100	430,522	100	108
Fermes à temps partiel	65,131	10.4	-	37,645	7.8	1.0	129,565	30	18

En 1951 et 1966, les fermes à temps partiel incluent celles qui enregistrent des ventes se situant entre $250. et $1,199. et
1) ou l'opérateur a rapporté 100 jours ou plus de travail à l'extérieur de la ferme;
2) où l'opérateur a rapporté des revenus de la ferme inférieurs à ses autres sources.

En 1966, les cultivateurs à temps partiel sont définis comme ceux qui gagnent plus de $750.00 à l'extérieur de l'agriculture ou encore ceux qui travaillent 75 jours ou plus à l'extérieur de la ferme.

(1) Recensement du Canada, Agriculture, 1966, B.F.S., p. 23)

On identifie ici "petites fermes" et "fermes non-commerciales" en utilisant le critère de la valeur de la production, mais cette distinction n'est pas toujours nécessairement juste, car chaque type de production requiert, pour une rentabilité maximale dans les conditions actuelles de la technologie, une organisation différente des facteurs de production terre-capital-travail. Une ferme de grandeur relativement petite peut présenter, selon le genre de culture, une forte intensité de la production et une rentabilité satisfaisante, en tenant compte des contraintes de l'organisation du travail en agriculture. (C'est ce que démontre clairement l'étude de Dianne Lessard, 1974).

Cette tendance à l'expansion de la grande et moyenne entreprise agricole se juxtapose au phénomène de regroupement des grandes fermes près des marchés urbains: les fermes en corporation sont apparues principalement dans et autour de l'île de Montréal. Citons les deux plus grandes fermes du Québec en 1966: Les Terres Noires Ltd (capitaux français), élevage, 2,400 acres; et Hardee Farm Ltd (capitaux américains et canadiens) légumes, 3,000 acres: toutes deux situées à proximité de Montréal. L'intégration verticale de la production et de la mise en marché des produits alimentaires favorise ici aussi la centralisation de la production.

D'autre part, il faut insister sur l'aspect **intensification** de la production dans les fermes à caractère de plus en plus capitaliste (ce qui est différent d'une simple augmentation de territoire): du Québec, 90% de la production vient de moins de 50% des fermes. Nous ne pouvons encore évaluer quel type de ferme (genre de production, grandeur, etc...) présente la plus forte intensification du travail à l'acre; on doit supposer qu'elles sont de taille supérieure à la moyenne étant donné l'investissement de capital que cela implique, et les résultats concrets qu'on remarque au niveau de la valeur de la production dans ce genre d'exploitation. La productivité du travail agricole s'est améliorée avec les recherches scientifiques, probablement à un taux de 4% l'an depuis 1946. Cependant, à cause des caractéristiques propres à l'exploitation agricole, dont le facteur de production essentiel est la terre, les progrès techniques rencontrent de sérieuses limites: à un certain point, le coût des investissements dépasse les espoirs de rentabilité. Néanmoins, devant la nécessité d'abaisser les coûts de production à l'unité, et l'obligation de rationaliser la production pour rencontrer les échéances de l'industrie alimentaire, la science s'est appliquée à réformer la production traditionnelle. Par exemple, la production de lait par vache s'est accrue de 54.4% au Canada entre 1931 et 1966: en Colombie britannique, de 82.2% et au Québec de 41.6%, toujours en dessous de la moyenne. [1] Le volume de la production s'est accru de 40% (au même rythme que l'accroissement de la population) malgré la diminution gigantesque de la main d'oeuvre. Pendant cette même période, 1949-1961, le P.I.B., lui, accuse une augmentation de 400%, ce qui est hors de comparaison. Il découle de ces phénomènes que même si les sources d'énergie se développent sur

---

1. Maheu, op. cit. p. 224.

la ferme (le nombre de tracteurs a augmenté de 180% de 1946 à 60), le tra

Quand il y a augmentation, ce sont les industries de transformation et lieu de 142 (1941), au Canada, ce qui multiplie d'autant ses efforts, ses dépenses financières, son endettement.

La concurrence entre les producteurs agricoles s'exerce d'une manière tellement rigoureuse que le nombre de fermes déclarant un travail accessoire ne fait que croître: maintenant plus de 30% des fermes enregistrées au Canada sont exploitées à temps partiel et ne produisent que 18% du total des ventes du secteur agricole (voir le tableau no 34b).

En résumé, les exploitations agricoles évoluent dans deux sens différents, à partir de la composition du capital sur la ferme. D'une part, une certaine catégorie de fermes augmentent de plus en plus leurs investisse- ments: cela se traduit par une intensification de la production, et générale- ment par un accroissement de territoire. L'organisation de la production agricole en fonction directe de l'industrie alimentaire conduit souvent à une nouvelle division du travail au sein du secteur agricole: de plus en plus de fermes sont gérées par des compagnies ou coopératives ayant à leur service des employés salariés. Cette tendance se manifeste surtout près des grands centres. Mais elle connaît des limites à cause du niveau actuel de rentabilité en agriculture et de l'état des marchés en général. D'autre part, l'endettement progressif pousse les petits producteurs soit à abandonner la terre, soit à combiner deux emplois. Le petit exploitant ainsi divisé ne peut mener à bien aucune des ses activités économiques: la ferme délaissée ne fera que décrépir, élargissant le fossé entre petits et gros producteurs, et sa situation de "jobber part-time" relèguera le paysan aux emplois les plus in- grats, les moins protégés.

3) Hausse prodigieuse des frais d'exploitation, prix et revenus

L'agriculteur se trouve totalement à la merci des industries d'approvisionnement en moyens de production: c'est ce que démontre les recherches les plus sérieuses. En effet, les dépenses en machinerie agricole sont responsables en majeure partie des coûts de production exor- bitants par rapport à la valeur de la production. Si le capital sur la ferme a plus que doublé ces derniers vingt ans, les frais de machinerie et d'entretien ont pendant ce temps plus que triplé (voir tableaux nos 35, 36). Cela tient à la hausse continuelle des prix de monopole dans le secteur de la production des biens de production (voir tableau no 37), et à la "nécessité" (qui vient de la concurrence des marchés) de moderniser et de remplacer l'équipement, souvent même avant d'avoir pu amortir le capital investi. Le schéma concer- nant l'évolution de la part relative des facteurs de production souligne cet aspect (voir aussi tableau no 38):

TABLEAU XXXV

Évolution des coûts de production sur la ferme: 1935-61

Coûts de production	1935-39	1961
part relative de la main d'oeuvre	63%	33%
part relative du capital et de la terre	16% et 21%	44% et 23%

(1) Lauzon, Contribution de l'agriculture... p. 24

La valeur courante du capital des fermes au Québec a connu les transformations suivantes:

TABLEAU XXXVI

ÉVOLUTION DU CAPITAL INVESTI SUR LA FERME: 1941-68

	Bétail	Terre et bâtiments	Outillage	Total
1941	$112,417.	$ 543,358.	$ 85,203.	$ 740,978.
1968	$408,853	$1,285,640.	$424,864.	$2,113,257.

(1) Lauzon, Contribution de l'agriculture... p. 24

Par ailleurs, nous avons mentionné à plusieurs reprises le fait que les mécanismes de fixation des **prix** dans le domaine agricole diffèrent du modèle industriel, où les gros monopoles dictent pratiquement aux autorités politiques leurs propres conditions. À mesure que les trusts de l'alimentation prennent de l'envergure, ils tendent à jouer ce même rôle de contrôle des prix des denrées alimentaires. Cependant, les produits agricoles constituant des biens essentiels à la reproduction des travailleurs, les hausses dans ce domaine sont sujettes à de fortes contestations à la fois de la part des consommateurs et des patrons qui supportent au minimum le coût de cette reproduction (salaires). Les prix agricoles ont donc tendance à rester stables, ou tout au plus à subir une légère augmentation; c'est ce dont témoigne ces chiffres (noter le décalage entre l'augmentation des prix dans les deux secteurs):

TABLEAU XXXVII

Indices de l'augmentation des prix: 1960-69

	Indice des prix de Gros agricoles	Indice des prix des biens et services utilisés par les agriculteurs
1960	226.6	254.8
1969	271.0	354.0

(1) Maheu, op. cit. p. 224

Quant il y a augmentation, ce sont les industries de transformation et de mise en marché qui s'accaparent la majeure partie des profits au dépens des producteurs directs; et cette part devient de plus en plus importante avec la puissance grandissante des trusts de l'alimentation. En 1946, sur le dollar $1.00 du consommateur, $0.47 vont aux industries en amont; en 1965, les intermédiaires s'allouent $0.72 du montant . La hausse des prix des produits alimentaires que l'on connaît actuellement est attribuable à 2 principaux facteurs:

1- la hausse générale des coûts de production agricole, et
2) la hausse gigantesque de la part et des projets des industries agro-alimentaires.

TABLEAU XXXVIII

Agriculture canadienne: superficies et investissements, 1941, 1951, 1961

	1941	1951	1961
Nombre d'exploitations	732,832	623,091	480,903
Acres par ferme	237	279	359
Acres par travailleur	142	185	253
Nombre d'acres	173,808,000	173,900,000	172,273,000
Capital par ferme en dollars de 1949	$9,558.	$12,694.	$18,310.
Capital par travailleur...	$5,740.	$ 8,423.	$12,930.
Capital par acre...	$ 40.4	$ 45.4	$ 51.0
Investissement en machinerie par ferme en dollars courants	$1,180.	$ 2,627.	$ 4,069.
Investissement en machinerie par travailleur en dollars courants	$ 707.	$ 1,743.	$ 2,281.
Investissement en machinerie par acre en dollars courants	$ 4.9	$ 9.4	$ 9.0
Dépenses d'opération par ferme en dollars courants	$1,139.	$ 1,738.	$ 2,544.
Dépenses d'opération par travailleur en dollars courants	$ 682.	$ 1,153.	$ 1,797.
Dépenses d'opération par acre en dollars courants	$ 4.8	$ 6.2	$ 7.1

(1) Recensement du Canada, Agriculture, 1966, Bureau fédéral de la statistique).

Tout au long du XXième siècle, on a assisté à la concentration progressive des entreprises de transformation alimentaire, conséquence du développement capitaliste dans ce secteur. Les découvertes de la science en matière de conservation alimentaire, l'amélioration des réseaux de transport, l'expansion des marchés urbains stimulent la concentration des industries jusqu'ici de faible dimension et éparpillées dans les campagnes, à proximité de leurs fournisseurs. Par exemple, l'industrie laitière comptait au Québec en 1911, 2,142 fabriques de beurre et fromage; en 1963 on n'en trouve plus que 656. De ce nombre ajoutons que seulement 99 compagnies, groupant les 2/3 des employés de ce secteur, produisaient 57% de la valeur totale [1]. Plus récemment, dans le secteur du lait nature, la fusion des laiteries Leclerc, Grenache, Poupart crée **Québec Lait Inc.**, la plus grosse corporation du genre au Québec, dont le volume des ventes dépasse $35 millions. Cette compagnie distribue à elle seule au Québec près de 30% du volume total de crème glacée, et 20% du volume total de lait nature. La concurrence demeure très forte entre les géants de cette industrie (Bordens, Dominion Dairies...) et aussi entre les différents trusts de l'alimentation: ce qui donne lieu à de fréquentes guerres des prix, à l'élimination inévitable des concurrents les plus faibles, au grossissement des monopoles et de leur puissance économique.

Avec la complicité et la collaboration des agents de gouvernement (subsides de tous genres, participation aux comités gouvernementaux), les grosses compagnies du complexe agro-économique opèrent un contrôle sur la quantité et la qualité des produits offerts sur le marché, dictent les politiques en matière de prix agricoles, et répartissent les bénifices à leur profit (voir Diane Lessard, 1974).

Le cultivateur ne dispose pas de moyens de revendication assez puissants pour sauvegarder son autonomie. Il est au service de l'industrie, de plus en plus un employé de la production, dominé par des intérêts économiques qui le dépassent: le mythe du producteur indépendant est d'une autre époque. Isolé sur sa ferme, le producteur agricole subit tous les contrecoups du marché. Il est doublement exploité à la fois par les industries d'approvisionnement et leurs compagnies de finance, et par les industries de transformation. La société capitaliste mise sur l'endurance, la capacité d'auto-exploitation du producteur agricole, son attachement ferme à maintenir les principes de la propriété privée. Mais le paysan se révolte parfois des conditions d'existence qui lui sont faites (marche des tracteurs sur le parlement de Québec en 1967). Son niveau de vie baisse continuellement par rapport au développement des autres secteurs de l'économie. La part du revenu agricole sur le revenu non-agricole subit une chute évidente: 1947 - 47%, 1961 - 34.6% (voir tableau no 41). Les revenus bruts (produits de la vente), eux-mêmes soumis aux fluctuations du marché et aux mauvaises conditions de la production, ne suffisent plus à compenser les dépenses d'exploitation. La situation des dernières années est particulièrement critique, et c'est toujours le revenu du producteur qui endosse le déficit.

---

1. Vance, **Farm Crisis in Quebec**, p. 39.

TABLEAU XXXIX

Évolution du revenu agricole:
(1968-71 (en %)

	1968/67	1969/68	1970/69	1971/70
Valeur brute de la production (% de fluctuation sur l'année précédente)	1.8	7.0	0.2	- 2.4
Rémunération du travail (% de fluctuation)	6.9	9.3	-16.4	-20.0

Non seulement celui-ci baisse de façon relative, c'est-à-dire par rapport au revenu national net, mais il diminue souvent même de façon absolue, suivant les bonnes ou mauvaises années.

TABLEAU XL

Évolution des frais et revenus
agricoles au Québec: 1940-65

	Revenus bruts	Frais et dépréciation	Revenus nets
1940	$167,554.	$ 67,332.	$ 81,935.
1945	$270,283.	$126,039.	$144,244.
1955	$462,249.	$253,140.	$228,482.
1965	$584,784.	$422,825.	$161,959.

(1) Maheu, op. cit. p. 223

TABLEAU XLI

Revenu par travailleur non-agricole
et par travailleur agricole: 1947-61

Année	Revenu net moyen par travailleur agricole, 1949-100	Revenu personnel net par travailleur non-agricole, 1949-100	(1) en % de (2)
1947	$1,356.	$2,829.	47.9
1948	1,557.	2,729.	57.0
1949	1,381.	2,805.	49.2
1950	1,242.	2,846.	43.6
1951	1,946.	2,818.	69.0
1952	1,927.	2,966.	65.0
1953	1,740.	3,162.	55.2
1954	1,121.	3,221.	34.8
1955	1,404.	3,299.	42.6
1956	1,739.	3,434.	50.6
1957	1,301.	3,435.	37.9
1958	1,520.	3,447.	44.1
1959	1,463.	3,529.	41.4
1960	1,567.	3,527.	44.4
1961	1,238.	3,579.	34.6

(1) Lauzon, op. cit. p. 18)

La production agricole en général ne se partage plus que 2% du P.I.B. en 1970, contre une valeur relative de 3.6% en 1965. L'écart s'accroît constamment dans le développement inégal des deux secteurs industrie/agriculture.

4) L'Etat règlemente et maintient le secteur agricole

L'Etat, véritable instrument des classes possédantes, contrôle et régit la production agricole par l'intermédiaire de ses institutions: Régie des marchés agricoles, Plans conjoints, Office du crédit agricole, Programmes extraordinaires de soutien à l'agriculture... L'Etat sanctionne l'exploitation presque sans mesure du producteur agricole par les industries qui contrôlent le marché de l'alimentation. Les profits énormes encaissés par ces dernières contrastent avec les faibles revenus des cultivateurs. Le maintien de prix relativement bas en agriculture favorise également les capitalistes industriels en justifiant les bas salaires aux ouvriers. Il est reconnu par tous que l'agriculture ne se maintient qu'à coup de subventions et de subsides. Les agriculteurs se révoltent contre le fait de devoir vivre aux crochets de l'État (une forme raffinée de bien-être social). Nul doute que cette situation fera l'objet d'études plus approfondies; nous n'en sommes encore qu'à l'énoncé.

Ce dernier chapitre sur les tendances générales du développement de l'agriculture contemporaine au Québec traite des résultats pratiques et concrets de tout un processus historique: celui du développement capitaliste au Canada et au Québec en particulier. Il ne sert à rien de décrire une multitude de faits et de "tendances" si l'on n'arrive pas à saisir le moteur qui active et détermine cette évolution.

L'importance que nous accordons (en terme de pages) à définir les progrès de l'industrie capitaliste en Amérique du Nord et au Québec n'est pas arbitraire. D'une part, les monopoles (le capital monopoliste financier) contrôlent l'économie du Québec, contrôlent les conditions de vie du peuple québécois. D'autre part, nous vérifions la justesse des analyses de Lénine sur le développement de l'impérialisme: les monopoles réagissent toujours à la loi de la baisse tendantielle du taux de profit; ils luttent continuellement pour le maintien et surtout la hausse de leur taux de profit. Ils luttent également entre eux pour la domination du marché.

Cette lutte conditionne les rapports entre l'État et les monopoles, entre les producteurs directs (classe ouvrière et producteurs agricoles) et les monopoles, entre les petites entreprises et les monopoles.

Par delà tous ces savants calculs, un phénomène nous préoccupe ici: la détérioration de la situation relative du producteur agricole (nous parlons de la majorité). Le cultivateur n'est plus un producteur indépendant. Par le biais des hypothèques, du crédit, et des liens aux fournisseurs de moyens de production et aux industries de transformation, la plupart des agriculteurs perdent peu à peu le contrôle sur leurs moyens de production et se prolétarisent.

Du point de vue de l'agriculture, trois grandes tendances se manifestent. Premièrement, les inégalités entre les exploitations agricoles augmentent sans cesse. Deuxièmement, il faut distinguer le caractère de plus en plus capitaliste de l'exploitation agricole et articuler les contradictions internes à ce développement. Troisièmement, il est nécessaire de définir en quoi consisterait la "sur-exploitation" du travailleur agricole en système capitaliste. Ces priorités de recherche seront en bonne partie abordées dans l'étude qu'entreprend Diane Lessard des rapports de productions agricoles actuels, pendant, Cependant, de notre point de vue, il apparaît **d'abord** essentiel d'opérer un déblayage historique qui replace l'agriculture des années 1970 dans un contexte plus global, déblayage qui permet d'identifier la nature et l'évolution du développement agricole au Québec.

CONCLUSION

Malgré le caractère sommaire, partiel, et souvent fastidieux de notre étude, nous espérons avoir atteint en partie au moins, le but fixé: énoncer les fondements matériels, historiques, du développement inégal des secteurs de la production en système capitaliste, et décrire les transformations organiques qui se sont effectuées dans ces différents secteurs au cours de l'évolution des stades du capitalisme au Québec. Nous avons voulu démontrer l'aspect **dialectique** des rapports entre les branches de la production, entre l'industrie et l'agriculture.

Par ailleurs, lorsque nous tentons de cerner le problème du développement de l'agriculture dans le système capitaliste, nous devons l'aborder sous deux aspects fondamentaux. Premièrement, l'agriculture est un secteur de production particulier qui a des conditions de production qui lui sont propres [1]. Les facteurs de production en sont la terre, le capital et le travail. Les contraintes de processus de travail en agriculture (terre) empêchent de rentabiliser au maximum le capital et le travail. L'opération de production en secteur agricole requiert une charge en capital constant qui alourdit trop considérablement la composition organique du capital (capital constant pour capital variable) qu'un accroissement de la production et du volume du profit s'en suive de façon proportionnelle. Les taux de profit sont donc bas dans la production agricole ce qui n'attire pas les capitalistes qui eux, se spécialisent dans les activités susceptibles des plus grands accroissements possibles de productivité. De plus, le marché d'absorption des produits alimentaires est limité.

Cependant, les conditions de production propres à l'agriculture n'expliquent pas en soi l'état réel du développement de l'agriculture, de même que l'avenir prévisible de ce développement. Pour ce faire il faut donc envisager l'agriculture sous un deuxième rapport: l'agriculture qui sous bien des aspects reproduit des rapports de production pré-capitalistes, est soumise aux lois du développement capitaliste. Nous constatons que la survie, le maintien et la combinaison de secteurs aussi "régressifs" que

---

1. voir Servolin, Aspects économiques...

l'agriculture au restant de l'économie québécoise ne s'expliquent que par certaines nécessités du système capitaliste. Ces nécessités sont d'ailleurs admirablement décrites dans les ouvrages de Lénine (1917) et Kautsky (1900). Les raisons en sont à la fois politiques et économiques. Il faudrait creuser ici tout le processus de l'échange inégal entre l'industrie et l'agriculture, peser les fondements de la sous-évaluation de la force de travail agricole. Cette sous-évaluation (sur-exploitation du travailleur agricole) permet l'émergence d'un surplus, et le transfert de ce surplus à l'industrie. Elle permet la production des biens agricoles au coût le plus bas possible, de façon à maintenir aussi les salaires industriels bas.

Le maintien de la petite production agricole permet aux capitalistes dans leur ensemble de faire peser sur le dos de chaque petit producteur agricole la charge en capital (et l'endettement) d'un secteur aussi peu productif et aussi peu rentable. L'agriculture a toujours joué aussi le rôle de fournisseur de main-d'oeuvre à l'industrie. L'État se fait ici le fidèle intermédiaire de l'industrie par ses politiques de soutien et de "planification" agricole.

Les conditions de l'articulation entre les secteurs pré-capitalistes et capitalistes restent toujours à évaluer selon la conjoncture économique globale. Ces conditions se transforment, et nous souhaitons que des études subséquentes analyseront les changements qui s'opèrent dans les rapports de production agricole.

LISTE BIBLIOGRAPHIQUE

RÉFÉRENCES THÉORIQUES

Amin, Samir, L'Accumulation à l'échelle mondiale; critique de la théorie du sous-développement, Ifan-Dakar, Ed. Anthropos, Paris 1970.
Bye, Pascal, Le Finanooment de la production agricole et alimentaire, Université des Sciences Sociales de Grenoble, IREP, CNEEJA 1970.
Emmanuel, A., L'Échange inégal, Ed. F. Maspéro, Paris 1970.
Gunder Frank, André, "Développement du sous-développement", dans Critique de l'Économie Politique, no 3: La Formation du sous-développement, Ed. F. Maspéro, Paris, avril-juin, p. 4-18 1971.
Kautsky, Karl, La Question agraire; étude sur les tendances de l'agriculture moderne, Ed. V. Giard et E. Brière, Paris 1900.
Lénine, V.I., "Nouvelles lois sur le développement du capitalisme en agriculture", dans Oeuvres choisies, tome 22, Ed. de Moscou, p. 11-108 1917.
L'Impérialisme, stade suprême du capitalisme, Ed. du Progrès, Moscou 1969.
Mandel, Ernest, Traité d'Économie marxiste, Ed. 10/18, Paris 1962.
Mao, Tsé Toung, "De la Contradiction", dans les Cinq Essais Philosophiques, Ed. de Pékin 1972.
Marx, Karl, Le Capital, Livre I, Garnier Flammarion, Paris 1969a.
Livre III, vol. 6,7,8, Ed. Sociales, Paris 1969b.
Mollard, A., La Rémunération du travail agricole, Université des Sciences Sociales de Grenoble, IREP, CNEEJA 1971.
Palloix, Christian L'Économie mondiale capitaliste, 1. Stade concurrentiel, Ed. F. Maspéro, Paris 1971.
Problèmes de la Croissance en Économie ouverte, Coll. "Économie et Socialisme", Ed. F. Maspéro 1969.
Rey, Pierre-Philippe, Les Alliances de classes, Ed. F. Maspéro, Paris 1973.
Servolin, Claude, Aspects économiques de l'absorption de l'agriculture dans le mode de production capitaliste, document polycopié 1970.
Van Schendel, Michel, Impérialisme et Classe ouvrière, dans Socialisme Québécois, no 21-22: La réaction tranquille, Montréal, p. 156-205 1971.

124

SOURCES HISTORIQUES

Barbeau, Raymond, La Libération économique du Québec, Ed. de
l'Homme, Montréal 1963.
Bédard, Roger J., L'essor économique du Québec, Librairie
Beauchemin, Ottawa 1969.
Bonin, Bernard, L'Investissement Étranger à long terme au Canada,
Presses des HEC, Montréal 1967.
Bourque, Gilles, Classes sociales et question nationale au Québec
1760-1840, Ed. Parti-Pris, Ottawa 1970.
Chevalier, J.M.,La Structure financière de l'industrie américaine et le
problème du contrôle dans les grandes sociétés américaines, Paris
1970.
Cousin, Jean-Luc, L'Agriculture et la Conjoncture canadienne,
Mémoire de maîtrise, Département de Sciences Économiques, Université
de Montréal 1970.
C.S.N., Ne comptons que sur nos propres moyens, (document) 1972.
Dumais, Mario, Étude sur l'Histoire de l'industrie hydro-électrique
(1940-1965) et son influence sur le développement industriel du
Québec, mémoire de maîtrise, Département de Sciences Économiques,
Montréal 1971.
Easterbrook, W.T. et Aitken, H., Canadian Economic History, The Mac-
millan co. of Canada, Toronto, 4ième éd. 1963, 1956.
Économie Québécoise, Coll. Les Cahiers de l'Université du Québec, Ed.
HMH, Montréal 1969.
Hamelin, Jean, Économie et Société en Nouvelle-France, Presses de
l'Université Laval, Québec 1960.
Hamelin, Jean et Roby, Yves, Histoire Économique du Québec
1851-1896, Fides, Montréal 1971.
Harris, Richard Colebrook, The Seigneurial system in Early Canada,
Presses de l'Université Laval, Québec 1966.
Haythorne, George, Labor in Canadian Agriculture, Harvard University
Press, Cambridge 1960.
Innis, Harold A., Essays in Canadian Economic History, University of
Toronto Press, Canada 1956.
Jones, Robert Leslie, "Agriculture in Lower Canada (1792-1815)", dans
Canadian Historical Review, p. 33-51 1946.
Lauzon, Norman, Contribution de l'Agriculture à la croissance
économique au Canada, Mémoire de maîtrise, Département de Sciences
Économiques, Université de Montréal 1971.
Lessard, Diane, L'intégration de l'Agriculture Québécoise dans le
Mode de Production capitaliste, 1945-1974, Mémoire de Maîtrise en
Anthropologie, Université de Montréal. (non soumis) 1974.
Moore, Barrington, Social Origins of Dictatorship and Democracy,
Beacon Press, Boston 1966.

Nish, Cameron, Les Bourgeois gentilhommes de la Nouvelle-France 1729-1748, Fides, Montréal 1968.

Ouellet, Fernand, Histoire Économique et Sociale du Québec 1760-1850, Fides, Montréal 1966.

Éléments d'Histoire sociale du Bas-Canada, Hurtibise HMH, Montréal 1972.

Pentland, H. C., "Further observations on Canadian Development", dans Canadian Journal of Economics and Political Science, août 1953.

Rapport Gray sur la maîtrise économique du milieu national: ce que coûtent les investissements étrangers, Coll. "Les dossiers du citoyen", Leméac, Ottawa 1971.

Rouleau, Jean-Paul, Accroissement du Capital et Développement Économique au Québec et en Ontario 1935-1959, mémoire de maîtrise, Département de Sciences économiques, Université de Montréal 1962.

Ryerson, Stanley B., French Canada, Progress Book, Toronto 1943.

Unequal Union, Progress Book, Toronto 1968.

St-Onge, C., L'Impérialisme Américain au Québec (document à peroître) 1974

Vance, Catherine, "Farm Crisis in Québec", dans The Marxist Quaterly, no 6, Toronto, p. 39-49 1963.

QUELQUES RÉFÉRENCES STATISTIQUES

Ministère de l'Agriculture:
1. Coup d'oeil sur l'agriculture du Québec et son évolution, 1971.
2. Rapport April:
2. a) L'Intégration de l'agriculture au Québec, 1969.
    b) L'Industrie laitière au Québec, 1969.
    c) L'Évolution de l'agriculture et le développement économique du Québec 1949-1970 (vue d'ensemble).
3. Recensement des Établissements laitiers, 1962.
4. Rapport annuel de la Régie des Marchés Agricoles du Québec 1970-1971.

Bureau des Statistiques du Québec: Statistiques agricoles 1969.

Québec Statistiques, vol. 10, mars 1972

Intervention du gouvernement dans le domaine de l'agriculture, octobre 1968, Ottawa.

Ministère de l'Industrie et du Commerce:
1. Évolution de la valeur brute des productions agricoles 1941-1948.
2. La Situation économique au Québec 1971.

Encyclopédie Historique Stock.

Table